BIENVENUE

CHEZ LES

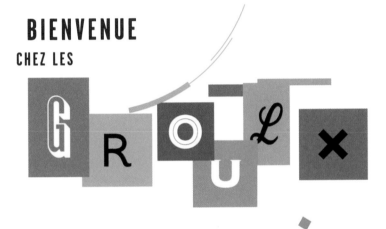

TARA LAWSON et PASCAL GROULX

BIENVENUE
CHEZ LES

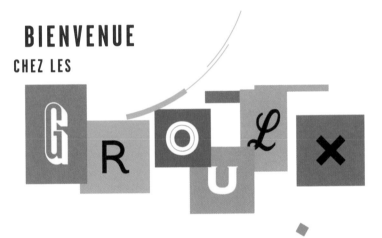

GROULX

LES ÉDITIONS **LA PRESSE**

Catalogage avant publication de Bibliothèque et Archives nationales du Québec et Bibliothèque et Archives Canada

Titre : Bienvenue chez les Groulx / Pascal Groulx, Tara Lawson.
Noms : Groulx, Pascal, auteur. | Lawson, Tara, auteur.
Identifiants : Canadiana 20189421371 | ISBN 9782897057282
Vedettes-matière : RVM: Lawson, Tara—Famille. |
RVM: Groulx, Pascal—Famille. | RVM : Familles—Dimension—Québec
(Province) | RVM : Familles—Québec (Province)—Biographies.
Classification : LCC HQ762 C32 Q8 2019 | CDD 304.6/309714—dc23

Président : Jean-François Bouchard
Directeur de l'édition : Pierre Cayouette
Directrice administrative : Nancy Lauzon
Responsable, gestion de la production : Emmanuelle Martino
Communications : Des Ruisseaux Communications

Éditeur délégué : Yves Bellefleur
Conception de la grille et montage : Simon L'Archevêque
Photos de la couverture : Eve Bourgeois
Photos des pages 15, 41, 43, 46, 93 et 96 : Amy Grauer
Traduction de l'anglais : Josée Latulippe
Correction d'épreuves : Isabelle Pauzé

L'éditeur bénéficie du soutien de la Société de développement des entreprises culturelles du Québec (SODEC) pour son programme d'édition et pour ses activités de promotion.

L'éditeur remercie le gouvernement du Québec de l'aide financière accordée à l'édition de cet ouvrage par l'entremise du Programme de crédit d'impôt pour l'édition de livres, administré par la SODEC.

Nous reconnaissons l'aide financière du gouvernement du Canada par l'entremise du Fonds du livre du Canada (FLC).

LES ÉDITIONS **LA PRESSE**
Les Éditions La Presse
750, boul. Saint-Laurent
Montréal (Québec)
H2Y 2Z4

SOMMAIRE

PROLOGUE

ASSISE ICI, entourée de Pascal et de quatre de nos enfants, je repense au début de notre parcours ensemble et je ne peux m'empêcher de sourire. Pour mes enfants, dix-neuf ans peuvent sembler une éternité mais, pour moi, on dirait que c'était il y a à peine quelques semaines. Tant de choses ont changé depuis ce jour ! Je me souviens de tout ce que nous avons vécu de beau et de moins beau, et je ne voudrais pour rien au monde en changer un seul instant. Cela nous a conduits en un endroit si merveilleux que je ne peux imaginer en modifier la trajectoire. Depuis notre premier baiser et notre premier enfant jusqu'à la naissance pas si lointaine de notre dixième petit trésor, tout cela me rend quelque peu nostalgique. Mes chers enfants, j'aimerais vous raconter dans ce livre comment tout a commencé, vous dire qui nous sommes et comment on est arrivés ici, aujourd'hui. Je souhaite vous laisser des souvenirs impérissables de la vie que nous avons le privilège de partager.

Comme parents, nous souhaitons plus que tout le bien-être et le bonheur de notre famille. Sur ce point, nous ressemblons à la plupart des autres familles du monde. Mais en tant que parents de dix enfants, une tâche qui peut paraître insignifiante prend pour nous des proportions insoupçonnées. Je vous raconterai le début de notre aventure ensemble, ainsi que les difficultés vécues en cours de route – les deux emplois que votre père a dû occuper pour arriver à joindre les deux bouts, et les premières années passées avec un ensemble de patio comme table de cuisine. Ça n'a pas toujours été facile ni même agréable, mais votre père et moi avons toujours été d'accord sur une chose : au bout du compte, tout cela en valait la peine. J'espère que ce livre vous permettra de mieux nous connaître, de découvrir les luttes et les joies que nous avons vécues. N'oubliez jamais à quel point nous vous avons aimés, nous vous aimons et nous vous aimerons toujours.

Notre parcours a commencé il y a maintenant 19 ans. Cela peut sembler une éternité mais, pour moi, on dirait que c'était il y a à peine quelques semaines.

—1—
QUI NOUS SOMMES

MOI

JE SUPPOSE qu'un bon point de départ serait de vous parler de moi, votre mère, la femme qui vous a mis au monde… Oui, je sais, ça semble une évidence, mais j'estime avoir droit à un peu de reconnaissance (je plaisante!). Comme vous le savez, j'ai presque cinq ans de plus que ma sœur et j'ai grandi dans un foyer bien différent du vôtre. J'ai grandi auprès de nounous et dans des garderies; mes deux parents travaillaient pour avoir les moyens de mener le style de vie qu'ils désiraient pour leur famille. Mon père voyageait beaucoup et je passais la plus grande partie de mon temps avec grand-maman Claudette et votre tante Morgan.

Mes souvenirs préférés de mes jeunes années sont nos étés de camping dans les Adirondacks.

Nous partions après la fin des classes et nous y restions pendant huit longues semaines. Nous faisions du bateau, jouions dans le lac, nouions de nouvelles amitiés avec des enfants qui venaient de partout. Vos arrière-grands-parents aussi étaient là, et c'était une façon merveilleuse de passer l'été.

Lorsque j'ai eu treize ans, alors que je m'apprêtais à entrer à l'école secondaire, mes parents ont pris la décision de déménager à Saint-Lazare. Ils y ont fait construire une maison. Cet automne-là, j'ai entrepris mes études secondaires. Ce n'était pas facile de fréquenter une nouvelle école, les autres jeunes se connaissaient depuis le primaire. De plus, j'étais un peu gauche pour mon âge, je n'étais pas encore entrée dans l'adolescence, j'aimais encore jouer avec mes poupées Barbie et je n'avais pas encore commencé à me raser les jambes… Je suppose que j'étais un peu sotte. Je n'entrerai pas dans les détails parce que je ne voudrais pas vous donner des idées mais au cours de ces quelques années au secondaire, j'ai été plutôt rebelle… très rebelle. J'ai fréquenté trois écoles secondaires différentes en six ans, j'ai doublé ma 2e secondaire parce que je n'allais pas à mes cours. Je me suis liée d'amitié avec les mauvaises personnes et fréquenté beaucoup des mauvais garçons.

Est-ce que je le regrette ? Oui, j'aurais dû me concentrer sur les choses importantes, m'amuser mais tout en m'instruisant. Je crois que c'est pour ça que j'en suis venue à établir la règle qui vous interdit les fréquentations. J'espérais qu'en vous obligeant à vous concentrer sur vos études plutôt que sur les jolis gars ou jolies filles, je vous éviterais de vous retrouver sur le chemin que j'avais moi-même emprunté. Mais en même temps, je me demande... Si j'avais davantage prêté attention aux choses supposément importantes, aurais-je rencontré votre père ? Serions-nous tombés amoureux ? Aurais-je été enceinte de Tristan à dix-neuf ans ? Probablement pas. J'aurais fait des études à l'université, fréquenté un garçon de mon âge plutôt que le joli rouliplanchiste qui m'est tombé dans l'œil... Alors non, je suppose que je ne le regrette pas. J'ai appris de ce que j'ai fait et cela a fait de moi la personne que je suis devenue. Dans la vie, je crois vraiment que l'on apprend avant tout de ses erreurs, et les miennes m'ont donné une famille merveilleuse que j'ai le bonheur d'avoir.

PAPA

Venant d'une famille typique de deux enfants, votre tante Jacynthe et moi avons été entourés d'amour par vos grands-parents, Robert et Murielle. Ceux-ci étaient des amateurs de plein air. J'ai plusieurs souvenirs de mon enfance, mais plus précisément de nos séjours en camping. Ce que je préférais, c'étaient les promenades en trois-roues, en quatre-roues et à moto. Contrairement à la famille de votre mère, nous n'avons pas vraiment voyagé hors du pays. Grand-papa a terriblement peur des hauteurs ; pour lui, il était hors de question de prendre l'avion. Cela ne nous a pas empêchés de faire de très beaux voyages… tant qu'il pouvait conduire !

Enfant, j'étais ce qu'on pourrait appeler un casse-cou. J'aimais bouger, grimper aux arbres, faire des sauts avec ma bicyclette, des cascades de toutes sortes… ce qui a entraîné plusieurs visites à l'hôpital! Disons que j'ai causé de nombreuses crises de panique à mes parents.

Durant mon adolescence, j'ai en quelque sorte exploré, même si mon père tenait à savoir tout ce que je faisais. J'avais quand même toujours du plaisir. Mon sport favori était la planche à roulettes. J'en « mangeais », je ne pensais qu'à ça! Je faisais partie d'un groupe d'environ dix amis très proches; nous avons fait plusieurs *partys*. Je vais vous épargner les détails pour le moment, gardons ces histoires pour quand vous serez plus vieux!

Mes chers enfants, vous ne savez pas à quel point vous avez changé notre vie! Je me souviens du jour où votre mère m'a annoncé qu'elle était enceinte de toi, Tristan. Plusieurs émotions m'ont envahi, particulièrement la peur de l'inconnu. Je n'avais que dix-sept ans, je n'avais pas fini l'école, pas d'emploi. Nous n'avions pas d'appartement, de meubles, ni même de voiture… Je venais à peine d'obtenir mon permis de conduire.

Heureusement que grand-papa Robert et grand-maman Murielle étaient très généreux avec nous ! Ils m'ont aidé à acheter ma toute première auto, une petite Isuzu Stylus. Certes, elle n'était pas neuve, elle avait quelques petits problèmes mécaniques, mais j'étais tellement heureux : pour moi, c'était un premier problème de réglé ! Il ne restait qu'à me trouver un emploi pour subvenir aux besoins de ma petite famille.

Je me souviens de ma première entrevue, une journée de tempête du mois de février alors que maman avait eu des contractions toute la nuit. J'étais tellement nerveux de ne pas pouvoir revenir à temps pour aller à l'hôpital...

Et après Tristan suivra Sasha. À peine une année vous sépare, 360 jours exactement. Durant notre courte aventure de jeunes parents de deux enfants, nous avons travaillé extrêmement fort pour réussir à joindre les deux bouts. Nous avons voyagé entre les maisons de vos grands-parents, car nous n'avions toujours pas notre propre logement. Puis, le grand jour est enfin arrivé : notre premier appartement, très modeste, rempli de meubles que nous avaient donnés nos parents. Et, en guise de table de cuisine, une table de patio ! Nous étions très fiers de pouvoir appeler ce petit appartement notre chez-nous.

Malheureusement, le manque d'argent nous a forcés à retourner chez nos parents. Plus que jamais, nous avons fait preuve de persévérance. Nous voulions avoir un endroit stable pour vous élever. Quelques années plus tard, nous déménagions à nouveau dans un plus grand appartement. Votre maman était enceinte de Bianca. J'avais un nouvel emploi mais, pour pouvoir joindre les deux bouts, je travaillais aussi comme camelot. Ce n'était pas facile mais cela nous permettait de vivre un peu mieux.

Quelque temps après, avec un emploi stable, un meilleur salaire et beaucoup de sacrifices, nous avons réussi à économiser suffisamment pour acheter notre première maison, celle où naîtra Savannah. Suivront par la suite Haylee, Logan, Lucas, Gavin, Nathan et finalement Amaya, mais cette fois dans une autre maison plus grande.

Nous avons connu des hauts et des bas. Il m'est arrivé de revenir du travail avec à peine assez d'essence pour terminer la semaine. La vie n'a pas toujours été facile... Mais nous avons persévéré et nous étions déterminés à réussir !

Je ne partage peut-être pas très souvent mes sentiments, mais sachez que je suis extrêmement fier de vous tous. Je donnerais ma vie pour votre bien-être... Vous êtes ma plus grande fierté. Allez toujours de l'avant, continuez à travailler fort pour atteindre vos rêves, restez fidèles à vous-mêmes et, surtout, sachez que vous pourrez toujours compter sur nous pour vous accompagner ou vous soutenir, même dans vos mauvais coups...

Je vous aime.

TRISTAN
LAWSON-GROULX

SURNOMMÉ « TRIST »
10 FÉVRIER 2001

Tu es mon aîné et tu auras toujours une place toute spéciale dans mon cœur. Je me souviens précisément où je me trouvais lorsque j'ai appris que j'étais enceinte de toi. J'étais dans la toilette du restaurant La Belle Province, à Saint-Lazare, parce que je ne voulais surtout pas que quelqu'un à la maison trouve la boîte du test de grossesse dans la poubelle. Découvrir à dix-neuf ans qu'on va avoir un bébé alors qu'on est soi-même encore une enfant, ça fait peur… Mais, en même temps je venais de voir ma propre famille s'écrouler devant mes yeux et c'était merveilleux de savoir que j'avais maintenant quelqu'un qui serait avec moi, quoi qu'il arrive.

J'ai, bien sûr, annoncé la nouvelle à ton père, mais nous voulions garder le secret le plus longtemps possible pour éviter les nombreuses questions de nos parents auxquelles, nous le savions, nous n'étions pas en mesure de répondre. Malheureusement pour nous, ma mère était un peu trop observatrice et elle a immédiatement remarqué les changements qui se produisaient en moi. Quand elle m'en a parlé, je n'ai pas nié. Elle a demandé à ton père s'il en avait parlé à ses parents, ce qu'il n'avait pas encore fait, et elle lui a donné quelques semaines pour leur annoncer la nouvelle. Mais ton père ne trouvait pas les mots, alors ma mère les a invités à la maison pour souper et elle leur a dit. Ils avaient très peur pour nous et pour toi. Je crois que grand-papa Robert a eu besoin de quelques bouteilles de vin pour se calmer mais, au bout du compte, c'était notre décision et nous allions avoir ce bébé – toi – avec ou sans le soutien de nos proches.

Heureusement, ils sont tous passés de la peur à la joie et à l'enthousiasme. Ils t'ont organisé un *shower* de bébé où nous avons reçu plein de cadeaux qui nous ont aidés à être prêts pour ton arrivée. Le jour de ta naissance, tout le monde était là pour t'accueillir. Ton grand-père Robert était tellement ému qu'il a même versé quelques larmes mais, pour préserver l'image de dur à cuire qu'il veut projeter, il a prétexté qu'il y avait de la poussière dans la chambre.

Ta naissance marquait le début de notre aventure comme parents et ces souvenirs occuperont toujours une place bien spéciale dans nos cœurs. À mesure que tu grandissais et apprenais toutes les choses que les enfants doivent apprendre, nous étions là à tes côtés, découvrant ce que voulait dire être parents et sacrifier nos propres désirs pour ton bien-être. Nous n'étions pas parfaits, loin de là, mais nous avons fait de notre mieux. Tu n'as jamais manqué de nourriture ni de vêtements, et nous avons toujours eu un toit au-dessus de nos têtes. Et, par-dessus tout, tu as reçu beaucoup d'amour. Tu es devenu un jeune homme si généreux et aimable ! Tu te soucies de ce que vivent les autres et tu places leurs sentiments au-dessus des tiens. Doté d'un bon sens artistique, tu es amusant, un peu trop dépendant de ta console Xbox mais, dans l'ensemble, nous sommes vraiment fiers de toi. Ta naissance n'était peut-être pas prévue, mais tu es l'une des plus belles surprises que j'ai reçues.

SASHA CHEYENNE LAWSON-GROULX

SURNOMMÉE « SASH », « SASHIE »
5 FÉVRIER 2002

Tu es ma première fille et même si jusqu'au moment de ta naissance nous avons tous cru que tu étais un garçon, nous étions aux anges quand tu es apparue et que le Dr Fortin a annoncé que tu étais une fille. Devenir la maman d'une petite fille a fait ressortir mon côté féminin que j'avais, adolescente, remplacé par des jeans amples et des chandails que je déchirais moi-même… J'aimais bien le rose et les froufrous, tu étais adorable !

Tristan et toi, vous êtes nés à 360 jours d'intervalle, presque des jumeaux ! Et comme ton père a dû retourner au travail quelques jours seulement après ta naissance, j'étais seule toute la journée pour prendre soin de vous deux, ce qui n'était pas une mince affaire. À votre âge, vous aviez chacun besoin de beaucoup d'attention et je n'arrivais pas à trouver comment faire pour me séparer en deux. Personnellement, je crois que devenir la maman de deux enfants, alors que je n'étais pas encore habituée à être la mère d'un seul bébé, a été le passage le plus difficile que j'ai eu à vivre comme parent.

À mesure que vous grandissiez, commenciez à ramper et à devenir plus indépendants, les choses sont devenues plus faciles. Tristan et toi étiez là l'un pour l'autre, vous aviez toujours un ami à vos côtés pour jouer avec vous. C'est peut-être difficile à imaginer en vous regardant aujourd'hui, mais vous étiez autrefois les meilleurs amis du monde, vous faisiez tout ensemble, vos siestes, l'heure du bain, les jeux. L'amour que vous aviez l'un pour l'autre, voilà ce qui m'a incitée à avoir d'autres enfants. J'aimais la dynamique que vous partagiez et je voulais la voir grandir en ajoutant d'autres enfants dans l'équation (mais je n'imaginais certainement pas alors en avoir dix!).

Bébé, tu étais assurément la petite fille à sa maman. Jusqu'à ce que tu aies environ dix-huit mois, ton père était convaincu que tu ne l'aimais pas. Au fil des ans, j'ai reconnu en toi plusieurs des qualités que je voyais en Tristan. Tu étais douce et affectueuse, généreuse et aimable. Tristan et toi êtes devenus des complices, faisant toutes sortes de mauvais coups, comme laver les cheveux de Bianca dans la toilette ou inonder le plancher de la salle de jeu en remplissant la piscine de Barbie. Heureusement, cette époque est révolue et tu es devenue une jeune femme extraordinaire. J'ai hâte de te voir aller au cégep, puis à l'université, et relever avec succès les défis de la vie. Et un jour, tu seras une mère formidable pour tes propres enfants grâce à tout l'entraînement que tu as eu à prendre soin de tes frères et sœurs.

BIANCA-ASHLEY LAWSON-GROULX

SURNOMMÉE « BIBI »
25 NOVEMBRE 2003

Bianca, tu es la première enfant dont ton père et moi avons planifié la naissance. Nous étions si heureux d'apprendre que Sasha aurait une petite sœur avec qui jouer aux Barbies et partager ses secrets ! Tu étais le plus drôle des bébés. Ton père t'avait surnommée « Caillou » parce que tu étais la première à naître avec très peu de cheveux blonds sur la tête ; tu lui rappelais le célèbre personnage des livres pour enfants. Après ton bain, tu t'empressais de ramper pour aller te cacher sous la table de salon et ainsi éviter de te faire habiller. Tu riais de nous alors que nous essayions de te tirer de ta cachette. Tu étais toujours souriante et ne pleurais presque jamais. Tu apprenais tout plus rapidement que ne l'avaient fait Tristan et Sasha, que ce soit pour faire tes nuits ou être propre. Rapidement, tu es entrée avec facilité dans la routine de la maison. Quand tu as été assez grande pour jouer avec des jouets, tu es devenue si indépendante qu'on aurait presque dit que tu n'avais plus besoin de moi. J'étais si fière de dire aux gens que tu serais celle qui ne me causerait jamais de soucis! Ton père, pour sa part, était loin d'en être convaincu.

Les années ont passé, tu es entrée en 1re secondaire et tu es devenue plus difficile. Je reconnais beaucoup en toi ce désir de liberté et de défi de l'autorité que j'avais moi-même à ton âge. Je crois que tu es peut-être celle qui me ressemble le plus, même si tout le monde croit que c'est Sasha. Les dernières années n'ont pas été faciles. Je n'entrerai pas dans les détails mais dans tout cela, je reconnais, derrière le masque d'adolescente que tu portes la plupart du temps, le visage de celle que tu as toujours été. Je sais que tu vas grandir, traverser cette période et très bien réussir dans la vie. J'espère que tu le sais : peu importe ce que tu fais, tu peux toujours nous en parler. Quoi qu'il arrive, ton père et moi serons toujours là pour te soutenir.

SAVANNAH-ELIZABETH
LAWSON-GROULX
SURNOMMÉE « SAVI », « SAV »
29 NOVEMBRE 2005

De toutes les divas du monde, tu es ma préférée. Tu as toujours été ma petite fille bien spéciale. Bébé, tu étais particulièrement jolie, venue au monde avec un visage parfait et une épaisse chevelure foncée. Dès que nous sortions avec toi, les gens tentaient de te faire sourire, nous disant à quel point tu étais belle. Je crois que cela a eu une incidence sur le fait que Bianca et toi n'avez jamais été très proches. En grandissant, tu as adopté une attitude de petite diva et tu étais loin d'être heureuse quand Haylee est arrivée. Je crois que tu comprenais qu'elle te ferait concurrence pour avoir l'attention de papa et de maman. Tu as tout de même appris à l'aimer quand elle a grandi, qu'elle est devenue plus amusante et a commencé à jouer avec toi.

Tu as toujours recherché notre attention, notre approbation et, pour une raison que je m'explique encore mal, celle de Bianca. Tout ce que tu fais dans la vie, tu le fais plus «fort» que tout le monde. Et ce n'est pas du tout négatif! Tu aimes fort, tu joues fort et tu vis fort. Toutes tes émotions sont toujours à fleur de peau et, peu importe la situation, il n'y a aucun doute sur ce que tu vis. Je t'imagine parfaitement devenir actrice. En effet, tu as rapidement accès à tes émotions, tu es comme un livre ouvert. Petite fille douce et merveilleuse, ne change surtout pas… mais, s'il te plaît, apprends à ranger ta chambre! ☺

HAYLEE-MICCA LAWSON-GROULX

SURNOMMÉE « HAYLEE-BEAR »
21 SEPTEMBRE 2007

Ma douce « Haylee-bear » ! À la naissance, tu étais le plus petit de tous mes bébés mais, en grandissant, tu es devenue une vraie force de la nature. J'imagine que c'est normal quand on a Savannah comme grande sœur et qu'on partage sa chambre !

Comme Tristan, tu as eu certaines difficultés avec la lecture et l'écriture mais, tout comme ton grand frère, tu as persévéré et je suis très fière de toi. Tu as toujours été une petite fille très féminine : ta couleur préférée est le rose, tu adorais le ballet et les poupées et tu aurais porté tous les jours une robe si je te l'avais permis.

Tu as maintenant fini l'école primaire et tu entreras au secondaire l'an prochain. Tu as grandi si vite ! J'espère que l'école secondaire ne te changera pas comme elle l'a fait pour Bianca et Savannah. Je te souhaite de rester fidèle à toi-même et de continuer à aimer les choses que tu aimes, peu importe ce que les gens pensent et ce qui est à la mode. Tout cela fait partie de ce que tu es et je ne veux pas le voir disparaître. Continue de travailler fort. J'ai hâte aux onze prochaines années pour voir la personne extraordinaire que tu vas devenir.

LOGAN-RILEY
LAWSON-GROULX

SURNOMMÉ « BOOBOO »
1ᵉʳ AOÛT 2009

Après huit ans et quatre filles, tu es arrivé, donnant à Tristan le petit frère qu'il voulait tant avoir ! Ton père et moi étions ravis d'avoir un deuxième fils. Tu étais un bébé facile et tu es devenu un enfant facile. Tu es enjoué et sociable, toujours prêt à aider et à faire plaisir. Peut-être pourrais-tu travailler plus fort sur tes devoirs et améliorer tes compétences en… ménage, mais je crois qu'il n'y a pas beaucoup d'enfants qui aiment ces choses-là.

Je suis très fière de toi quand je te vois aider tes petits frères ou t'asseoir par terre pour jouer avec Amaya. Tu veux devenir policier et je crois que tu serais en effet un excellent policier. Dans un conflit, tu essaies toujours d'arriver à une solution juste et raisonnable pour tout le monde. Tu sais ce qui est bon et ce qui ne l'est pas. Continue d'être le garçon doux et aimable que tu es, nous t'aimons beaucoup !

LUCAS-AIDAN
LAWSON-GROULX

SURNOMMÉ « BUBBY »
15 JUIN 2012

Toi, mon Bubby, tu as longtemps été mon petit garçon introverti, qui jouait sagement. Mais, depuis que tu as commencé l'école, tout cela a changé. Le fait d'être entouré d'autres enfants de ton âge t'a permis de sortir de ta coquille. Tu exprimes ton opinion et tes émotions, parfois avec vigueur. Tu as tant de nouveaux champs d'intérêt. J'adore te voir t'épanouir !

Ta relation avec ta famille est excellente, mais Bianca a toujours eu dans ton cœur une place bien spéciale. Bébé, tu jouais souvent avec elle pendant des heures et tu finissais par t'endormir sur elle. Je trouvais cela adorable et je vous ai pris bien trop souvent en photo. Vous partagez quelque chose qui est difficile à définir, mais je vous souhaite de conserver encore longtemps ce lien unique qui vous unit. N'oublie pas que tu es exceptionnel et que tout le monde t'aime beaucoup.

GAVIN-COLE
LAWSON-GROULX

SURNOMMÉ « BÉBÉ GAVIN »
11 JUIN 2014

« Charmant », voilà le mot qui te décrit le mieux. Tu as toujours été un petit charmeur et, d'aussi loin que je me souvienne, tu as toujours réussi à mener Sasha par le bout du nez. Et aujourd'hui, à quatre ans, tu demandes aux amies de Bianca d'être tes petites amies ! J'ignore ce que ça augure pour l'avenir, si je dois m'attendre à recevoir des téléphones de l'école parce que tu brises le cœur des petites filles… Mais juste à y penser, ta maman a déjà des cheveux gris !

Peu importe ! Tu es mon petit rayon de soleil dont le sourire illumine mes jours même quand les choses vont mal. Tu es doux et très affectueux. Tu me redis au moins cinquante fois par jour à quel point je suis belle, ce à quoi tu veux que je réponde immédiatement : « Et toi, tu es très beau ! » À l'âge de deux et trois ans, tu étais un enfant très difficile et je pensais que j'aurais hâte au jour où tu entrerais en maternelle. Mais plus le jour approche, plus je me sens triste. Je sais que tu es prêt et que tu vivras de merveilleux moments à découvrir le monde et à apprendre de nouvelles choses. Mais tu es mon petit copain pendant la journée, tu m'aides à garder mon calme quand Nathan fait le petit monstre et qu'Amaya pleure parce que son frère lui vole sans cesse ses jouets. Tu vas beaucoup me manquer ! Mais vas-y, sois merveilleux et fais-toi tout plein d'amis avec ta brillante personnalité.

NATHAN-HUNTER LAWSON-GROULX

SURNOMMÉ « TOUTI MINI »
17 AVRIL 2016

Mon «Touti mini», tu as toujours été un défi dans nos vies et tu l'es encore ! Tu as commencé en ne prenant pas de poids. Nous avons plus tard appris que c'était dû à un frein de langue et de lèvres trop court. Puis tu as fait des otites sans fin, synonymes de nuits sans sommeil à t'entendre pleurer de douleur, impuissants, jusqu'à l'ouverture du bureau du pédiatre le lendemain matin. À travers tout cela, nous t'avons probablement gâté un peu plus que nous n'aurions dû. Tes frères et tes sœurs aussi. Tu es le petit roi de notre château et tu obtiens à peu près tout ce que tu veux, quand tu le veux.

Les choses se sont améliorées à l'arrivée de ta rivale (dans ton esprit, à tout le moins), Amaya. Tu as dû apprendre à partager l'attention et à être plus sensible aux besoins d'une autre personne, plus petite que toi. Je peux certainement affirmer que tu en es venu à l'aimer, même parfois trop fort. Je le vois dans tes yeux quand tu lui donnes une gorgée de ton jus ou que tu voles un biscuit dans l'armoire pour elle. Tu es un petit garçon tendre et amusant et nous t'aimons beaucoup. Et cela ne changera pas, peu importe combien d'autres frères et de sœurs tu auras.

AMAYA-JADE
LAWSON-GROULX   20 MARS 2018

Ma douce Amaya, tu es la dernière arrivée dans notre famille, mais je ne peux honnêtement pas me souvenir de ce qu'était notre vie sans ta présence. Tu as une personnalité magnifique, toujours un sourire pour chacun et chacune. Tes frères et tes sœurs t'adorent, et tu le leur rends bien. Le moment que tu préfères dans la journée, c'est lorsqu'ils rentrent tous de l'école. Tu sembles encore plus heureuse de les retrouver que de nous voir, ton père et moi.

Je ne peux qu'imaginer ce que ce doit être, avoir neuf frères et sœurs plus âgés ! Tu auras toujours une épaule sur laquelle t'épancher ou quelqu'un pour t'aider avec tes devoirs. Quand tu seras adolescente, tu auras des frères et des sœurs adultes que tu pourras aller visiter dans leur appartement ou qui t'emmèneront chez la manucure. J'aimerais bien faire l'expérience de la vie que tu mèneras, mais c'est avec grand plaisir que je me contenterai d'observer, de ma position de parent. Tu pourras assurément vivre ce que veut dire être aimé par tant de personnes tout au long de ta vie, tu ne connaîtras jamais un moment de solitude. Je t'aime, ma petite fille.

Comme tout le monde, nous avons eu des hauts et des bas, mais la famille merveilleuse
que nous avons eu le bonheur d'avoir a changé nos vies.

Bianca, Sasha, Haylee et Savannah.

Logan, Gavin, Nathan et Lucas avec Tristan, l'aîné de la famille.

La famille est réunie à l'hôpital à l'occasion de la naissance d'Amaya-Jade en mars 2018.

La famille a passé une belle journée au parc Safari.

— 2 —
COMMENT NOUS NOUS SOMMES RENCONTRÉS

TOUTE RELATION commence avec la fameuse première rencontre. Comme j'aimerais que la nôtre ait été plus... romantique ! Mais la vérité est bien loin de là. Elle n'a rien de ce qu'on lit dans les contes de fées, ça c'est sûr ; on dirait plutôt une mauvaise émission de fin d'après-midi pour ados. Je ne vous décrirai pas tout en détail, mais voici en gros comment ça s'est passé.

J'ai rencontré votre père pendant la relâche scolaire, en mars 1999. J'étudiais au cégep, à l'époque. Ma famille était partie en voyage à la Barbade pour la semaine. Et moi, adolescente un peu stupide, ne réalisant pas la chance que j'avais de me voir proposer une semaine de vacances gratuites, j'ai décidé de rester à la maison afin de pouvoir passer du bon temps avec mes amis.

J'avais emprunté le véhicule de votre grand-père, avec sa permission, bien sûr, et une de mes copines m'avait demandé si je pouvais aller chercher certains de ses amis à Saint-Lazare qui n'avaient pas de moyen de transport et voulaient venir à une fête avec nous. Quand j'y repense, je me dis que j'aurais peut-être dû poser quelques questions… Combien d'amis ? Quel âge ont-ils ? Mais que voulez-vous, j'avais dix-huit ans et je ne voyais pas plus loin que le bout de mon nez. Nous sommes donc arrivées à Saint-Lazare. Finalement, ils étaient six ou sept garçons dans la rue et à en juger par les odeurs flottant autour d'eux, ils avaient déjà commencé à fêter. Ils voulaient tous monter avec nous. Je devrais peut-être indiquer que votre grand-père conduisait un Jeep Grand Cherokee et que nous étions déjà deux dans le véhicule, mon amie et moi. J'aurais donc dû laisser les garçons là où ils étaient, mais, comme je le disais plus tôt, le raisonnement d'une adolescente étant ce qu'il est, ils sont tous montés et nous sommes repartis.

Lorsque je l'ai rencontré, votre père sortait avec quelqu'un, et moi aussi. Je le trouvais beau, mais je n'ai pas beaucoup pensé à lui après cela. Au cours des semaines suivantes, je l'ai revu à quelques reprises à la résidence d'étudiants de mon amie. Celle-ci les invitait, lui et ses amis, à venir faire la fête les fins de semaine.

Puis les cours ont pris fin pour l'été. Et un changement majeur s'est produit dans ma vie. Mes parents ont décidé de divorcer. Que vous ayez dix-neuf ans ou neuf ans, quand vos parents vous annoncent qu'ils se séparent, c'est terrible. Malheureusement, la séparation de mes parents ne s'est pas faite sans heurts. Par respect pour eux, je n'entrerai pas dans les détails, mais j'ai fini par ne plus vouloir rester à la maison. La plupart du temps, je me préparais un sac et je partais chez des amis… qui étaient aussi des amis de votre père. À ce moment-là, je ne fréquentais plus personne et votre père venait de se séparer de sa copine. Et pour une raison ou pour une autre, chaque fois qu'il y avait un *party* – ce qui, pendant l'été, était à peu près tous les soirs –, nous nous trouvions un petit coin tranquille et nous parlions pendant des heures.

Notre relation a commencé très lentement. Au début, nous nous contentions de parler. Puis nous nous tenions la main. Ce n'est que deux mois plus tard que nous nous sommes embrassés pour la première fois. Honnêtement, je crois que c'est peut-être pour cela que les choses ont fonctionné entre nous. Nous avions développé une solide amitié et notre relation a évolué à partir de là. Puis, comme vous le savez déjà, le

28 août 1999, sur la pyramide du parc Bédard, votre père m'a officiellement demandé (c'est tellement quétaine, quand j'y repense !) d'être sa petite amie. Et dix-neuf ans plus tard, dans le même parc, il m'a demandée en mariage.

Voilà donc, en résumé, comment nous nous sommes rencontrés, votre père et moi. J'ai omis certains détails et ce n'est pas la peine de demander à votre grand-mère de quoi il s'agit, parce qu'elle ne vous le dira pas !

Notre relation a commencé très lentement. Nous avons développé une solide amitié jusqu'à notre mariage, le 13 octobre 2019.

— 3 —
COMMENT NOUS SOMMES ARRIVÉS JUSQU'ICI

LES GENS se demandent toujours comment, avec dix enfants et un seul parent travaillant à l'extérieur, nous pouvons avoir tout ce que nous avons. Alors, pour satisfaire leur curiosité et vous aider à comprendre tous les sacrifices et le travail que cela a supposé, je vais vous les décrire brièvement.

Les premières années de notre relation, nous avons surtout habité avec ma mère et ma sœur. Et juste avant la naissance de Bianca, nous avons décidé de louer notre propre appartement. J'avais alors vingt-trois ans et votre père vingt ans, nous nous apprêtions à accueillir notre troisième enfant et trouvions qu'il était temps d'avoir notre chez-nous. C'était bien de profiter de notre indépendance, mais notre vie était très différente de celle de nos amis qui habitaient encore à la maison et étaient aux études, sans soucis ni grandes responsabilités.

Longtemps, votre père a dû occuper deux emplois pour arriver à joindre les deux bouts, et je devais compter nos sous pour m'assurer d'avoir assez à manger et subvenir aux besoins de nos enfants. Votre père livrait les journaux le matin dès 4 h 30, tous les jours de la semaine, même la fin de semaine. Puis il partait pour son quart de travail de huit heures. Grâce à ses sacrifices, nous avons réussi à acheter notre première maison en avril 2005. C'était une nouvelle construction et nous avons eu un très bon prix. C'était un petit bungalow dont le sous-sol n'était pas fini, pas plus que la cour. La décoration intérieure était minimale, mais nous voyions toutes les possibilités de cette propriété.

Pendant les deux années suivantes, nous avons fini le sous-sol, ajouté deux autres chambres et profité des deux étés pour niveler la cour, semer de la pelouse et faire un jardin afin de rendre la maison plus attrayante. À l'étage, nous avons repeint et ajouté des moulures. Finalement, la maison était magnifique. Nous avons réussi à la vendre en 2007 en faisant un profit de 40 000 $ que nous avons investi dans une autre nouvelle construction à Saint-Lazare, rue des Aventuriers. C'est la maison où la plupart d'entre vous êtes nés et dont vous vous souviendrez comme de l'endroit où vous avez grandi. Nous adorions cette maison. Nous y avons vécu pendant près de dix ans. Nous avions fini le sous-sol et fait l'aménagement paysager à notre goût. Mais nous avons fini par réaliser que notre famille avait beaucoup grandi et que notre maison ne nous convenait plus.

Comme vous le savez, j'ai traversé un événement assez traumatisant en 2010 (nous en reparlerons plus loin) et après six ans de bataille juridique contre l'hôpital et les médecins, les avocats sont arrivés à un règlement. Cela nous a grandement aidés à prendre la décision d'acheter une nouvelle maison, plus grande. Nous avons contacté un agent immobilier pour connaître la valeur de notre maison et nous avons été ravis d'apprendre que, dans les nouvelles conditions du marché, nous pourrions faire un profit de près de 100 000 $ en la vendant. Nous l'avons donc mise en vente en août 2016 et après deux ou trois semaines seulement, nous avons reçu une offre très sérieuse, que notre agent nous conseillait vivement d'accepter. Le seul problème, c'est que nous n'avions nulle part où aller. Je me suis alors mise en mode panique. J'étais effrayée à l'idée de vendre la maison que nous avions habitée pendant près de dix ans sans savoir où nous allions nous retrouver. Je nous imaginais devoir déménager à l'hôtel ou louer un appartement. Quelles complications cela aurait entraîné pour nous... et pour vous, les enfants! Je ne voulais pas vendre à moins d'être certaine d'avoir une maison encore plus appropriée pour ma famille. Mais ce n'est pas facile de faire coïncider la vente de sa maison et l'achat de la maison de ses rêves.

Quelques jours après l'offre d'achat sur notre maison, j'ai reçu un courriel avec la liste des propriétés à vendre dans la région. Et notre future maison était là. Elle avait été mise en vente le matin même. J'ai tout de suite téléphoné et pris rendez-vous pour le lendemain, à 15 h, afin que vous puissiez venir avec nous. À 17 h 30, nous déposions une offre d'achat et à 22 h 30, la maison était à nous. On aurait dit un signe du destin : nous venions de trouver une maison qui répondait à nos besoins, dans le coin que nous souhaitions habiter et, surtout, à un prix que nous étions en mesure de payer et qui nous permettrait à nouveau de faire un profit lorsque nous déciderions de la vendre. Et comme aucun de nos enfants ne semble pressé de quitter la maison pour déménager en appartement ☺, ce moment viendra plus tôt que tard parce que les maisons ne sont malheureusement pas conçues pour accueillir des familles comme la nôtre ; nous prenons conscience que si nous voulons vraiment trouver notre maison « pour toujours », nous allons devoir la construire nous-mêmes. Mais ça, c'est un tout autre chapitre de notre vie.

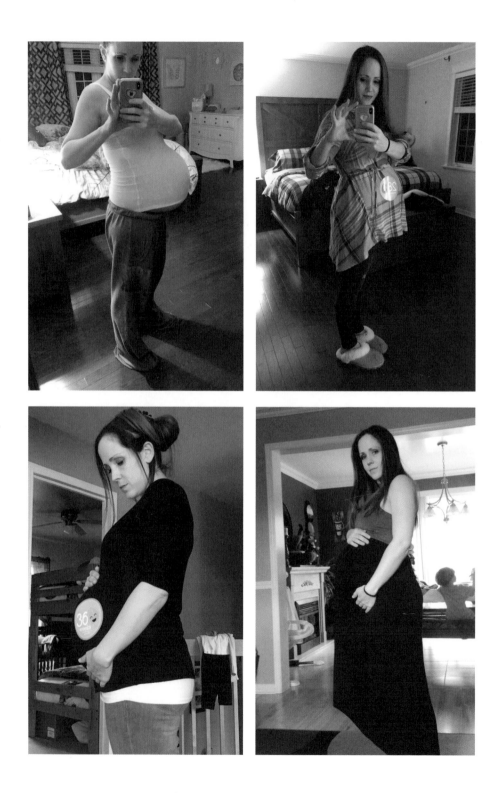

Des photos de moi, enceinte : des moments uniques et inoubliables.

— 4 —
COMMENT ÊTRE ÉCONOME EN AYANT QUAND MÊME DE BELLES CHOSES

TOUT LE MONDE aime les belles choses neuves. Qu'on ait dix ou deux enfants, on veut être fier de sa maison et de son apparence. Je ne crois pas que, parce que j'ai une grande famille, je me doive d'acheter uniquement des articles d'occasion et habiller mes enfants uniquement à partir des bacs à aubaines. Il n'y a rien de mal à cela, certains le font et c'est parfait, mais je n'ai tout simplement pas été élevée de cette façon. J'ai toujours fait de mon mieux pour que mes enfants se sentent comme tous les autres enfants de leur entourage. Et si cela voulait dire que je ne pouvais pas me permettre d'avoir des vêtements neufs à toutes les saisons pour que mes enfants puissent avoir une paire de chaussures de sport à la mode, eh bien soit! Après plusieurs années à avoir dépensé notre argent de façon très économe, j'ai développé un certain nombre d'astuces. Soyez bien attentifs car quelle que soit votre situation financière quand vous serez adultes, j'espère que vous en mettrez quelques-unes en pratique. Ces trucs nous ont sauvé la vie, à votre père et à moi.

LA NOURRITURE

Vous savez que je crois très fort aux avantages de la «garantie du meilleur prix» en vigueur dans certains magasins. Je dirais que cela me permet d'économiser en moyenne près de 100 $ par semaine, ce qui veut dire jusqu'à 5 200 $ par année, soit environ un mois de salaire! Quand vous aurez un emploi et que vous travaillerez 40 heures par semaine, vous serez en mesure de l'apprécier encore plus qu'en ce moment. Un autre moyen d'économiser, c'est d'acheter les articles en solde en grande quantité et de les congeler. Ainsi, quand on a envie de manger telle chose, on n'a pas à courir à l'épicerie à la dernière minute et payer le plein prix. La planification des repas aussi est importante, peu importe la taille de votre famille, afin de toujours être prêt pour les semaines à venir, de ne pas se retrouver sans rien à manger et de devoir commander au resto plusieurs fois par semaine.

Nathan en pleine action : l'art de magasiner sans se fatiguer !

LES VÊTEMENTS

Heureusement, vous n'avez pas commencé à vous soucier des vêtements que vous portiez avant d'arriver au secondaire, pour les filles. Quant à Tristan, qui est mon seul garçon adolescent à ce jour, pendant de longues années tu n'as pas semblé préoccupé par ce que tu portais, alors je m'en suis toujours sortie avec ces trucs. Et je peux encore le faire avec les plus jeunes. Quoi qu'il en soit, je ne crois pas que vous n'ayez jamais eu à vous plaindre de la façon dont vous étiez habillés.

Mon conseil pour économiser sur les vêtements, c'est évidemment d'acheter en solde lorsque c'est possible. Mes soldes préférés ont lieu juste avant et après Noël. J'ai aussi pris l'habitude d'acheter à la fin d'une saison pour la saison suivante. Par exemple, au printemps, lorsque tous les vêtements d'hiver sont vendus avec des rabais incroyables, j'achète des vêtements d'hiver pour l'année suivante, une taille plus grande que ceux que vous portez à ce moment-là. Je vous trouve ainsi des vêtements de marque à 70 ou 80 % de rabais sur le prix que j'aurais payé en les achetant en début de saison.

Comme vous le savez tous, j'aime beaucoup mes bacs dans lesquels je classe tous les vêtements par taille et par sexe. C'est le premier endroit où je vais voir lorsque ce que vous avez dans votre garde-robe est devenu trop petit.

LES VÉHICULES

Je serai très brève : n'achetez jamais de voiture neuve ! Est-ce que j'aimerais avoir une voiture neuve ? Bien sûr ! Mais ça me semble complètement insensé de payer pour un véhicule qui, une fois que vous l'avez conduit pendant cinq secondes à peine, perd une énorme partie de sa valeur.

LES MEUBLES

Vous pouvez bien imaginer qu'avec vous tous qui courez partout, lancez des objets, heurtez le mobilier en roulant sur vos véhicules jouets, les meubles constituent un sujet doux-amer. Quand nous avons emménagé dans la nouvelle maison, je me suis fait plaisir en achetant quelques meubles neufs, et j'ai réalisé que j'aurais peut-être dû attendre que le plus jeune d'entre vous ait cinq ans avant de prendre une telle décision... Que voulez-vous, on apprend !

Avoir plusieurs enfants, ça veut dire acheter plusieurs lits, commodes, divans et tout le reste. Comment avons-nous réussi à survivre sans nous endetter lourdement? Eh bien, en faisant d'abord le tour des sites internet, en jetant un coup d'œil à ce que les autres ont à vendre. Les articles d'occasion ne sont pas toujours de vieux objets sans valeur. Parfois, les gens déménagent ou refont la décoration de leur maison et vendent de très belles choses à très bon prix. Quand je n'ai pas trouvé ce que je cherchais en ligne et que je trouve ce que je veux en magasin, voici comment je procède : je prévois un retrait hebdomadaire de notre compte chèque vers notre compte d'épargne. Par exemple, pour un ensemble de chambre à coucher d'enfant à 2 500 $, je mettrai de côté 49 $ par semaine pendant un an. À la fin de l'année, je vais acheter les meubles en payant comptant plutôt qu'avec une carte de crédit.

Je me suis toujours fait fort de ne rien devoir à personne. En effet, les dettes peuvent rapidement s'accumuler et devenir tellement élevées qu'il semble impossible de s'en sortir. Il me faut évidemment plus de temps avant d'obtenir les meubles que je désire que si j'avais payé avec la carte de crédit. Mais je sais qu'une fois l'achat effectué, je n'ai pas à m'inquiéter de paiements à venir; alors, quand je me couche le soir, je peux dormir plus tranquille.

Voilà donc quelques idées que, je l'espère, vous garderez en tête en grandissant. Il existe toujours un moyen d'obtenir ce qu'on veut lorsqu'on est prêt à y mettre l'effort nécessaire. Au fil des ans, mes trucs pour économiser ont parfois embarrassé votre père à plus d'une reprise... comme cette fois où j'ai rapporté chez Walmart trois plants de cèdre qui étaient morts moins d'un an après la date d'achat: j'ai exigé qu'on m'en donne trois nouveaux – ce qu'ils ont fait! Mais au bout du compte, votre père vous dira qu'il apprécie les efforts que j'ai pu faire pour nous permettre d'économiser et de réussir à vivre comme nous le souhaitons.

— 5 —
CE QUI S'EST PASSÉ EN 2010

CERTAINS D'ENTRE VOUS se souviennent de ce qui s'est passé, mais la plupart étaient trop jeunes pour le réaliser. Et comme il s'agit d'un incident majeur dans ma vie qui aura des répercussions non seulement physiques mais aussi psychologiques pour le reste de ma vie, c'est une histoire que j'aimerais vous raconter.

À l'été 2010, j'avais trente ans ; seulement six d'entre vous étiez nés et toi, Logan, tu n'avais pas encore un an. Je me suis mise à avoir mal à l'estomac après avoir mangé. Ça a duré quelques semaines et puis un soir, alors que je mangeais un bagel, la douleur est devenue si intense que j'ai dû aller m'étendre. Ça faisait si mal que je n'ai pas pu bouger pendant des heures. Je ne savais pas ce qui se passait, mais j'espérais que ça disparaîtrait avec du repos. Je ne voulais vraiment pas aller à l'hôpital et quitter mes enfants, surtout que Logan était nourri principalement au sein, il ne mangeait pas encore vraiment.

Malheureusement, la situation ne s'est pas améliorée au cours des jours suivants. Le 13 août 2010, votre père et vous tous me conduisiez à l'urgence de l'Hôpital général du Lakeshore, à Pointe-Claire. J'ai pu voir un médecin rapidement. On m'a donné des médicaments pour calmer la douleur et j'ai attendu la chirurgienne, la D^re Tamara Lynn Znajda, appelée en consultation. C'était long! Vous étiez tous fatigués d'être là, alors votre père vous a ramenés à la maison. Grand-maman Claudette est restée avec moi. Ce soir-là, on m'a fait passer un tomodensitogramme pour savoir ce qui se passait. Le lendemain matin, la D^re Znajda, que j'avais déjà vue à son bureau au sujet d'un lipome apparu après la naissance de Logan, était la chirurgienne de garde. La douleur étant causée par ma vésicule biliaire, il fallait qu'on m'opère pour l'enlever. La médecin m'a donné deux choix: attendre à l'hôpital jusqu'à ce que je puisse être opérée, probablement encore deux jours, ou retourner à la maison et planifier une date pour l'intervention à un moment où elle était disponible en salle d'opération. Évidemment, j'ai choisi de retourner à la maison auprès de mes enfants, j'avais tellement hâte de sortir de là!

Quelques jours plus tard, la douleur s'était un peu atténuée. Mais tout à coup, mes yeux et ma peau sont devenus jaunes. J'ai téléphoné à la D^{re} Znajda et lui ai expliqué ce qui se passait. Elle m'a envoyée passer une échographie ; le technicien m'a dit que j'avais une pierre de coincée dans le canal cholédoque et qu'il en informerait la médecin. La D^{re} Znajda a programmé l'opération pour le début septembre, puis celle-ci a malheureusement dû être repoussée au 15 septembre en raison d'un problème de disponibilité.

Quand je suis entrée à l'hôpital ce jour-là, mes parents m'ont accompagnée car Pascal devait rester à la maison avec vous. J'ai nourri Logan jusqu'au moment de partir en me disant que je serais de retour le lendemain et que tout irait bien. L'opération a eu lieu. La D^{re} Znajda et les infirmières ont dit que tout s'était bien passé. Je ne me souviens pas de grand-chose après le moment où l'on m'a conduite en salle d'opération, mais je sais que ma mère m'a ramenée à la maison le soir même et que je suis allée me coucher en arrivant.

Le lendemain, je souffrais énormément. Malgré le médicament prescrit, la douleur ne diminuait pas. Je me souviens d'avoir appelé ma mère, car j'étais inquiète. Celle-ci m'a fait remarquer que c'était normal d'avoir mal. C'était la première fois que je subissais une opération, alors je lui ai fait confiance et j'ai essayé de dormir en espérant que le repos permettrait de calmer la douleur. Je me suis réveillée un peu après 17 h. Je sentais les odeurs du repas que votre père avait préparé. J'ai immédiatement su que quelque chose n'allait vraiment pas. Alors j'ai essayé d'appeler votre père, mais avec la porte de la chambre fermée et tout le bruit que vous, les enfants, faisiez, il ne pouvait pas m'entendre. J'ai donc pris le téléphone et appelé ma mère, lui demandant de téléphoner à la maison pour dire à Pascal de monter parce que je n'allais vraiment pas bien. Votre père raconte que, quand il est monté, j'avais un teint blanchâtre tirant sur le vert. Nous ignorions à ce moment-là que je saignais dans mon abdomen depuis plus de 24 heures et que mon corps était en état de choc.

Votre père a appelé le 9-1-1. Deux ambulanciers sont arrivés peu de temps après. Ils ont pris mes signes vitaux. Je me rappelle avoir entendu l'un d'eux dire à son collègue qu'ils devaient partir rapidement sinon ils allaient me perdre… Ils m'ont descendue de la chambre sur une civière et m'ont roulée devant vous, qui étiez assis sur le divan avec votre père. J'aurais tellement voulu vous regarder, vous dire que tout irait bien, que vous n'aviez pas à vous inquiéter, mais j'étais trop faible pour même ouvrir les yeux. C'est là l'expérience la plus douloureuse et effrayante que j'ai eu à vivre, avoir tellement mal au point de n'avoir même pas la force de rassurer mes enfants !

Les 24 heures suivantes sont confuses dans mon esprit. On m'a ramenée en salle d'opération et le chirurgien de garde a arrêté l'hémorragie. J'ai reçu de nombreuses unités de sang pour tenter de stabiliser mon état. Avec succès, du moins pour le moment. Le lendemain, le 17 septembre, je me suis réveillée aux soins intensifs de l'Hôpital général du Lakeshore avec l'impression que la mort rôdait. Comme je n'avais pas le droit de boire, ma mère humectait mes lèvres et l'intérieur de ma bouche avec une petite éponge. Elle m'a raconté que je lui ai alors demandé si j'allais mourir. Ce fut la chose la plus effrayante qu'elle m'a entendue dire… et la dernière question qu'une mère veut se faire poser par son enfant.

Dans l'après-midi, on voulut me faire passer un tomodensitogramme pour essayer de voir ce qui se passait dans mon corps. Mais je ne cessais de dire à mon père que je me sentais vraiment mal et que je ne voulais pas y aller. Mon père avait à peine fini de leur dire qu'ils ne m'emmèneraient nulle part que mon rythme cardiaque s'est emballé et que ma pression artérielle a chuté. On sait aujourd'hui que la réparation qui avait été effectuée – une couche de gel sur mon foie pour faire cesser l'hémorragie – venait de céder. L'hémorragie n'avait pas été contenue, alors le sang continuait de couler, formant comme un ballon qui se remplissait… avant de finir par se rompre et emporter un gros morceau de mon foie. Je saignais à nouveau, et encore plus abondamment cette fois, dans mon abdomen.

La dernière chose dont je me souviens, c'est d'avoir dit à un autre chirurgien qui venait d'être appelé dans ma chambre et expliquait à mes parents l'intervention qu'il allait devoir pratiquer : « Mais faites quelque chose ! » J'ai eu l'impression de le crier, mais ce fut probablement davantage un simple murmure. Il m'a entendue, cependant, et a semblé surpris de constater que j'étais encore consciente. Une fois de plus, on m'a ouvert l'abdomen. Le chirurgien a bourré mon foie, puis on m'a conduite en ambulance à l'Hôpital Général de Montréal. Une infirmière m'accompagnait. Elle était chargée de me donner sans arrêt des transfusions pour s'assurer que j'arrive en vie.

Au cours des deux jours suivants, on m'a plongée dans un coma artificiel. Avec un cathéter inséré dans une artère de ma jambe, ils ont cautérisé le vaisseau endommagé dans mon foie pour faire cesser l'hémorragie et laissé mon abdomen ouvert. Cela leur permettait de changer les compresses autour de mon foie et, je suppose, de s'assurer que les saignements ne recommencent pas.

Si je peux vous dire une chose de l'expérience d'être placée dans un coma artificiel, c'est qu'on n'est pas vraiment inconscient, on peut entendre des choses, on essaie de comprendre ce qui se passe autour de soi. Je n'ai jamais eu des rêves aussi étranges et à l'apparence aussi réelle. Et lorsqu'ils ont fini par me réveiller, j'ai un peu perdu la tête. Je me souviens d'avoir été convaincue que je devais m'échapper car les gens à l'hôpital étaient méchants. Je me suis mise à arracher mon soluté et à vouloir me lever. Pour ma propre sécurité, ils ont dû utiliser des moyens de contention pour me retenir. C'était pour le moins terrifiant, mon instinct de survie avait pris le dessus. Je peux affirmer sans l'ombre d'un doute que je ne veux jamais revivre une telle expérience.

Une fois revenue dans un état plus ou moins normal, on m'a installée dans une chambre. À partir de ce moment-là, tout ce que je souhaitais, c'était de rentrer à la maison. J'ai tellement insisté que mon médecin a fini par m'autoriser à partir, à condition que je revienne à l'hôpital quelques jours plus tard pour qu'elle puisse vérifier si tout se passait bien. Quand je suis finalement revenue à la maison, j'étais tellement heureuse d'être entourée de vous tous, mes enfants, que j'ai commencé à me sentir à nouveau moi-même. Malheureusement, je prenais encore beaucoup de médicaments contre la douleur et je dormais la plupart du temps au lieu de me lever et de marcher… ce qui a entraîné un autre problème.

Le tout a commencé à l'Action de grâce. J'étais en train de me brosser les dents quand j'ai soudain senti un serrement dans la poitrine. J'étais incapable d'inspirer et mon cœur battait si fort que j'ai cru qu'il allait sortir de ma poitrine. J'avais aussi une légère fièvre et une douleur à la jambe gauche, qui est devenue mauve. Votre père s'est tout de suite souvenu qu'à l'hôpital, avec toutes les transfusions que j'avais reçues, des caillots s'étaient développés dans mes bras qui avaient alors eu la même apparence que ma jambe à ce moment-là.

Le 13 octobre, j'étais de nouveau admise à l'hôpital. On m'a donné de l'héparine par voie intraveineuse. J'avais fait une thrombose veineuse profonde dans ma jambe gauche qui avait commencé sous mon cœur et s'était arrêtée dans ma cheville avec quatre caillots dans mes poumons. Quand j'ai pu ressortir deux jours plus tard, j'ai décidé de cesser de prendre les médicaments contre la douleur pour éviter d'être toujours endormie. Il était temps que j'essaie de reprendre une vie normale. Ça n'a pas été facile, mais vous étiez ma source de motivation. Je voulais guérir et rester loin des hôpitaux.

L'année suivante a été bien différente de ce que j'imaginais comme vie au début de la trentaine, entre les visites à l'hôpital, la perte de tous mes cheveux en raison du traumatisme subi par mon corps, puis la hernie qui s'est formée et a pris de l'ampleur à chacune de mes grossesses. Mais nous y sommes arrivés !

C'est en raison de toute cette histoire – et aussi fou que cela peut sembler, j'ai tu certains détails que je ne veux tout simplement pas que mes enfants apprennent – que j'ai choisi d'entreprendre des pour-suites. Je ne pouvais pas laisser la D^{re} Znajda et l'hô-pital s'en tirer avec ce qu'ils avaient fait. Je ne serai jamais plus la même personne, ni physiquement ni psychologiquement. Je devrai subir une autre opé-ration pour traiter ma hernie, mais, comme vous le savez, j'ai trop peur de ne pas survivre à une autre chirurgie, peur de vous laisser orphelins de mère… Alors je porte des vêtements amples. Et chaque année, le 15 septembre, je repense à ce que j'ai vécu il y a tant d'années. Je veux que vous sachiez que c'est pour vous que je n'ai cessé de me battre pour rester en vie. C'est vous qui me donnez la force dont j'ai besoin, jour après jour, pour continuer la route, peu importe à quoi ressemble mon corps.

— 6 —
LES CINQ RÈGLES IMPORTANTES DANS NOTRE FAMILLE

CHAQUE FAMILLE possède ses propres règles, certaines découlant de l'éducation que les parents ont re-
çue et d'autres de leurs expériences de vie, car ils souhaitent éviter à leurs enfants de commettre les mêmes
erreurs qu'eux. Nos règles, à votre père et à moi, constituent un bon mélange des deux. Vous les trouvez
peut-être agaçantes – et peut-être vous trouvez-nous
énervants, nous aussi, qui tentons de les faire respecter
– mais ces règles sont à notre avis nécessaires pour
vous enseigner les limites et les conséquences de vos
gestes. Voici les cinq principales règles avec lesquelles
vous avez tous grandi.

RÈGLE N° 1
PAS DE FRÉQUENTATIONS AVANT 18 ANS

Bianca, je sais que cette règle est celle que tu dé-
testes le plus, mais il s'agit d'une règle que moi, ta
mère, j'ai tenu à ajouter à notre liste. Ni votre père ni

moi n'avons grandi avec cette règle, mais je crois honnêtement qu'elle aurait eu un effet positif dans mon cas. Je me rappelle avoir eu pour la première fois le béguin pour un garçon alors que j'étais en 6ᵉ année. Il s'appelait Billy Garcia. Il était dans ma classe et je le trouvais très mignon. Au fil des ans, les jolis garçons se sont succédé et je dépensais une énergie folle à courir après eux. Quand j'avais un petit copain, tout ce qui comptait, c'était à quel moment je pourrais le voir, ce que nous ferions pendant le week-end, sans parler des nombreuses heures passées à parler avec lui au téléphone, le soir, au lieu de faire mes devoirs. Quand je n'avais pas de *chum*, alors je consacrais mes énergies à savoir qui j'aimais ou qui m'aimait, ou à passer du temps avec des amis, mais toujours à la recherche de mon prochain copain.

Alors que j'écris ces lignes aujourd'hui, je suis forcée d'admettre que j'étais plutôt folle des garçons. Quelqu'un m'a dit un jour que c'était lié au fait que mon père voyageait beaucoup pour son travail et que je recherchais l'attention des hommes parce qu'il n'y en avait pas assez dans ma vie. Je suppose que ça pourrait être vrai. Quelles que soient les raisons pour lesquelles j'ai agi ainsi, je ne laisserai pas mes enfants prendre cette voie. Je crois fermement que la jeunesse devrait être consacrée à passer du temps avec ses amis, à découvrir qui l'on est, ce qu'on aime et, surtout, à faire des études afin d'avoir un bel avenir. Vous pouvez réaliser tout cela sans les distractions supplémentaires d'un *chum* ou d'une blonde. Vous aurez tout le temps pour ça une fois que vous aurez découvert qui vous êtes et ce que vous voulez faire dans la vie.

Je suis certaine que, à un moment ou à un autre, la plupart d'entre vous allez me détester à cause de cette règle. Mais ça m'est égal parce qu'au bout du compte, quand vous serez grands, vous comprendrez que je l'ai fait parce que je vous aime. En tant que parents, nous faisons ce qui nous semble la meilleure chose à faire… et nous espérons que tout se passe pour le mieux.

RÈGLE N° 2
LE FRANÇAIS APRÈS LE SOUPER ET POUR PARLER À PAPA

Il y a longtemps, nous avons pris la décision de vous inscrire dans une école bilingue. Nous croyions qu'un programme à moitié en français et à moitié en anglais serait suffisant pour vous donner une bonne base dans les deux langues. Malheureusement, nous avions tort. Parce que vous aviez passé vos premières années à la maison avec moi, que je vous parlais seulement en anglais et votre père seulement en français, nous avons vraiment pensé que ce serait suffisant pour faire ressortir ce que vous aviez appris au fil des ans. Nous n'avions pas pensé que dans une école bilingue la plupart des élèves parlent français uniquement pendant les cours de français, et que vous auriez besoin d'un programme d'immersion en français où vous parleriez français davantage que votre langue maternelle, l'anglais.

Pour y remédier, nous avons instauré la double règle suivante : à partir de 17 h tous les soirs, vous parlez uniquement en français ; et, en tout temps, vous vous adressez et répondez à votre père en français. Votre père prend cette règle particulièrement à cœur et a parfois de la difficulté à faire en sorte que tous et toutes, spécialement les plus jeunes, collaborent. Je sais que vous nous trouvez embêtants quand nous vous demandons continuellement de répéter en français ce que vous venez de dire mais c'est tellement important, particulièrement lorsqu'on vit au Québec, de pouvoir communiquer dans les deux langues ! Peu

importe la qualité de votre éducation, vous ne pourrez pas trouver un bon emploi si vous n'arrivez pas à
communiquer avec les gens en français.

RÈGLE N° 3
PAS DE NOMBRE IMPAIR D'ENFANTS

Comme votre père, j'ai grandi avec une seule
sœur. Et je me souviens d'avoir été considérée comme
l'aînée, qui devait donner l'exemple et être gentille
avec sa petite sœur parce qu'elle était plus jeune et ne
pouvait pas comprendre autant que moi. Et j'ai toujours eu l'impression que ma petite sœur, pour sa part,
pouvait toujours s'en tirer, qu'elle était la préférée de
mes parents parce qu'elle était plus petite et, d'une
certaine manière, plus jolie que moi. Cela a créé
beaucoup de jalousie entre nous et parfois je n'ai pas
été très aimable avec elle au cours de notre enfance.

Quand j'ai décidé d'avoir des enfants, je voulais
m'assurer qu'ils ne vivraient pas une telle jalousie,
mais surtout que chacun sentirait qu'il a une place
bien spéciale au sein de notre famille. Et c'est à ce
moment-là que j'ai décidé que je n'aurais pas un
nombre impair d'enfants afin que jamais l'un d'eux
se sente «pris en sandwich». Même si je n'ai jamais

vécu personnellement le syndrome de l'enfant du milieu, j'en ai entendu parler et ça semble faire en sorte qu'il ne sait pas exactement quelle est sa place dans la famille. Cet enfant n'est pas l'aîné qui obtient plus de permissions parce qu'il est plus âgé et plus mûr ; il n'est pas non plus le plus petit avec qui on est plus indulgent et qu'on admire parce qu'il est si mignon et drôle.

Peut-être ai-je regardé trop de reprises de l'émission *The Brady Bunch* quand j'étais plus jeune, mais je ne pouvais pas supporter Jan, qui se plaignait sans arrêt et disait que tout le monde préférait ses sœurs. Ou peut-être est-ce tout simplement parce que pour moi les enfants doivent venir par deux, afin qu'ils puissent toujours avoir quelqu'un sur qui compter, avec qui se jumeler... De toute manière, c'est une chose qui m'est restée en tête et à laquelle je n'ai jamais dérogé. D'une façon ou d'une autre, ça semble fonctionner pour nous. Tous nos enfants – à l'exception de Tristan, l'aîné, qui a été suivi de quatre sœurs – ont toujours eu leur compagnon, cet ami avec qui ils ont grandi, qui leur a tenu compagnie quand les plus grands étaient partis à l'école. J'ignore comment ça va se passer pour vous, mes trois petits derniers, mais j'espère que vous serez toujours là l'un pour l'autre, quel que soit votre rang dans la famille.

RÈGLE Nº 4
PAS D'ARGENT DE POCHE

Je comprends que la plupart de vos amis reçoivent de l'argent de poche en échange de certaines tâches qu'ils accomplissent chez eux, tous les jours ou toutes les semaines. C'est bien dommage, mes chéris, mais ça ne fonctionne pas comme ça chez nous. Votre père et moi estimons que notre maison est l'endroit où nous vivons tous et que nous devons tous partager la responsabilité de l'entretenir. Quand vous serez plus grands et déménagerez dans votre propre chez-vous, personne ne vous paiera pour laver votre vaisselle, faire votre lit ou ramasser... Alors, pourquoi le devrais-je ?

Chez nous, la règle est la suivante : si tu as dix ans ou plus, tu es assez grand pour participer. Je ne vous demande pas de tout faire, parce que je crois que les enfants doivent demeurer des enfants et que vous avez bien des années devant vous où, comme adultes, vous devrez faire les tâches ennuyantes comme le lavage, le repassage, laver les planchers et les toilettes.

Je veux cependant instaurer en chacun et chacune de vous l'importance d'être responsable de ce que vous faites. Je veux que vous compreniez que vous n'êtes pas rémunérés pour accomplir quelques tâches élémentaires dans la maison étant donné que vous contribuez grandement au désordre.

Il y a toutefois quelques exceptions, comme quand vous voulez de l'argent pour sortir ou faire une activité spéciale avec vos amis. Nous vous donnerons alors l'occasion d'accomplir une tâche hors de l'ordinaire, comme nettoyer le frigo ou désherber le jardin ; si vous vous acquittez bien de votre responsabilité, nous vous remettrons un peu d'argent. Mais, à part ces situations, vous vivez tous ici et si vous ne mettiez pas la main à la pâte pour garder la maison propre, votre père et moi serions alors debout toutes les nuits jusqu'à 3 h à faire du ménage... et ce ne serait assurément pas juste !

Amaya et Nathan, deux enfants espiègles,
photographiés dans la sécheuse en flagrant délit !

RÈGLE N° 5
UN SYSTÈME DE JUMELAGE
QUAND NOUS SORTONS

Cette règle vient de mon enfance. Quand j'étais jeune et que nous sortions, ma sœur Morgan et moi, avec mes parents, nous avions instauré un système de jumelage. Dans ce système, une personne plus âgée est jumelée à une plus jeune, et toutes deux doivent rester ensemble pour assurer la sécurité de la plus petite. Enfant, j'étais toujours avec mon père et ma sœur avec ma mère. Dans notre famille, toutefois, où il y a seulement deux adultes pour dix enfants, nous jumelons un enfant plus jeune avec un des plus vieux. C'est impossible pour votre père et moi de toujours vous surveiller tous les dix. Ce système est donc vraiment nécessaire dans une famille comme la nôtre, et cela a toujours bien fonctionné.

Voilà donc, en gros, les règles que vous avez connues en grandissant, au côté de toutes les autres règles de base de chaque famille : respecter les autres et être aimables les uns avec les autres... C'est un peu différent chez nous parce que la plupart des familles ne comptent qu'un, deux ou trois enfants. Notre réalité ressemble parfois à du «parentage extrême», mais je crois que nous arrivons à bien fonctionner, avec l'aide de chacun et chacune d'entre vous.

Chez nous, les occasions de souligner les anniversaires sont nombreuses.

Cette année-là, la récolte des cocos de Pâques a été fructueuse !

Noël, c'est toute une fête chez nous ! L'excitation augmente de jour en jour et d'heure en heure jusqu'au matin du 25 décembre !

Tout est prétexte à se déguiser pour les enfants, qui n'attendent pas l'Halloween pour se costumer.
Ci-dessus, Gavin et Lucas, ci-bas Haylee et Savannah.

— 7 —

COMMENT NOTRE PASSAGE À LA TÉLÉ A CHANGÉ NOS VIES

POUR COMMENCER, j'aimerais vous dire, pour ceux qui sont trop jeunes pour s'en souvenir, comment nous en sommes venus à participer au documentaire *Une année chez les Groulx*. À l'été 2012, peu après la naissance de Lucas, un bon ami de votre père, Louis-Pierre, qui travaillait pour une compagnie d'assurance et de planification financière, nous a appelés pour nous parler d'un nouveau client qu'il avait rencontré.

Comme il le faisait souvent dans le cadre de son travail, il se rendait chez des clients pour expliquer quels services il pouvait leur offrir. Et, comme dans la plupart des rencontres de ce genre, au cours de leurs échanges, Louis-Pierre a demandé à son client, Vincent, ce qu'il faisait dans la vie. Celui-ci a répondu que lui et un ami étaient associés et écrivaient des scénarios pour des émissions de télé qu'ils vendaient par la suite à une compagnie de production, et que celle-ci produisait l'émission pour une chaîne de télévision. Il a ajouté qu'ils travaillaient à ce moment-là sur un projet portant sur des familles nombreuses au Québec. Ils souhaitaient, dans leur émission, présenter les côtés positifs des grandes familles à une époque où cela n'est plus très populaire. Ils étaient donc à la recherche de la famille sur laquelle leur émission serait basée, mais ils avaient de la difficulté à la trouver.

Louis a dit à Vincent qu'il avait un ami de vingt-neuf ans qui venait tout juste d'avoir son septième enfant. Vincent lui a demandé de l'appeler et de lui donner ses coordonnées. Louis nous en a donc parlé et, après en avoir discuté entre nous, nous avons décidé de les contacter pour discuter de cette occasion qui se présentait. Vous connaissez la suite de l'histoire. Il s'est écoulé beaucoup de temps entre le premier coup de fil et le tournage de notre documentaire. À ce moment-là, Gavin était né et avait presque un an ! Je crois que ça n'a fait qu'ajouter à l'intérêt de l'émission sur notre famille alors de huit enfants.

Nous n'avions pas de très grandes attentes après la diffusion du documentaire. Nous étions simplement très heureux d'avoir eu la chance de vivre ce que la plupart des gens n'ont jamais la possibilité de faire.

Jamais nous ne nous serions attendus à ce qu'autant de gens s'intéressent à ce que nous considérions comme notre vie de tous les jours. Ou encore que le Canal Vie nous propose, un an plus tard, qu'une équipe nous suive pendant une année de notre vie, filmant tout depuis la routine du retour en classe jusqu'aux vacances en passant par les anniversaires et les fêtes. Nous vous avons demandé ce que vous, les enfants, en pensiez et comme vous aviez eu du plaisir lors du tournage du documentaire, vous étiez tout à fait prêts à poursuivre l'aventure.

Nous voici maintenant quatre ans plus tard et nous tournons notre troisième saison. Ça n'a pas toujours été facile, les jours de tournage où les enfants, ou parfois même un parent, ne sont pas tous d'humeur à collaborer. C'est difficile parce que les gens regardent l'émission et s'imaginent que tout cela s'est réalisé tout d'un coup, bien facilement. Ils ne sont pas conscients de tout le travail que cela suppose, de toutes les heures que la compagnie de production et l'équipe technique, y compris le réalisateur et le scripteur, consacrent à l'émission pour capter tous ces moments que nous vivons. Les gens ignorent aussi toutes les journées passées à peaufiner les détails, ou encore à s'assurer que nous avons la permission de tourner là où la famille doit se rendre.

Nous filmons pendant cinq jours complets pour produire une émission de 45 minutes, et ce n'est pas toujours facile de conjuguer tout cela avec les exigences de la vie quotidienne d'une grande famille. Je ne vais certainement pas me plaindre ! À part la venue de mes enfants, ce tournage est l'une des plus belles aventures de ma vie. J'ai rencontré tant de personnes merveilleuses dans ce secteur, nous espérons conserver ces liens que nous avons créés une fois nos jours de tournage terminés. Comme tout ce qui vaut la peine dans la vie, l'émission suppose beaucoup de travail, mais jamais je ne regretterai notre décision d'y participer.

Certains d'entre vous se souviennent de ce qu'étaient nos sorties avant notre passage à la télé, les gens qui nous dévisageaient comme si votre père et moi avions deux têtes en raison du nombre d'enfants que nous avons. Ou encore ces gens qui, bien ouvertement, se mettaient à vous compter à haute voix, étonnés du nombre d'enfants qui entouraient notre panier d'épicerie. Depuis le tournage, certaines choses ont changé, d'autres non. Les gens continuent de nous dévisager, mais aujourd'hui c'est surtout parce qu'ils savent qui nous sommes. Et les regards de stupeur ont fait place à des sourires et à des félicitations pour notre famille et pour l'émission. Je crois que la plupart des parents comprennent bien les hauts et les bas que nous présentons dans l'émission ; certains aiment bien les conseils et les trucs que nous dévoilons à la caméra, développés au fil des ans. Et j'imagine que les enfants aiment l'émission parce qu'il y est surtout question d'enfants, qui ont du plaisir et qui grandissent. Cette aventure prendra fin un jour, mais elle fera toujours partie de qui nous sommes, et j'espère que vous avez eu autant de plaisir que nous à y participer.

Lucas, Amaya et nous tous avons eu beaucoup de plaisir lors des journées de tournage des émissions de télé chez nous. C'est une des plus belles aventures de notre vie. Tristan étudie d'ailleurs pour être caméraman.

— 8 —
DES LETTRES
DE VOS
GRANDS-PARENTS

BONJOUR LES ENFANTS,

Laissez-moi vous expliquer en quelques mots comment vos parents se sont rencontrés. Pascal a toujours aimé jouer dehors avec ses amis, faire du patin, de la planche à roulettes, de la planche à neige, de la bicyclette, etc. Il a connu votre maman Tara à ce moment-là. Quelques mois plus tard, leurs relations sont devenues plus sérieuses et ils nous annonçaient peu après que votre maman était enceinte… Disons que nous étions un peu nerveux, car votre père n'avait même pas terminé ses études et ne travaillait pas encore. Finalement, l'arrivée de bébé Tristan a été vraiment merveilleuse, mais personne ne s'attendait à ce que ce moment magique ne soit que le début de votre grande aventure !

Suivront par la suite Sasha, Bianca, Savannah, Haylee, Logan, Lucas, Gavin, Nathan et Amaya. Tristan et Sasha sont malheureusement les seuls que mon père, votre arrière-grand-papa, a connus. Il était tellement fier de voir ses arrière-petits-enfants !

Tant de beaux souvenirs me viennent en tête... Au début, vos parents ont habité quelque temps avec nous. Le petit lit de Tristan se trouvait dans notre chambre et, la nuit, quand il se réveillait, nous avions l'habitude de nous lever avec eux. Nous avons aussi passé quelque temps en camping avec lui et Sasha, vos parents venaient nous rejoindre avec vous. Demandez à Tristan s'il se souvient de la chanson des poissons. Quand il l'emmenait à la pêche, grand-papa lui faisait chanter une chanson lorsque les poissons ne mordaient pas...

Votre famille a grandi depuis cette époque, mais nous aimons toujours nous réunir pour chaque occasion : les fêtes des enfants, Noël, le jour de l'An, Pâques...

Vous êtes une très belle famille et nous sommes fiers de faire partie de votre vie, de voir l'entraide entre les plus vieux et les plus jeunes, c'est merveilleux !

N'oubliez pas, les enfants, que vous avez des parents formidables, toujours à votre écoute. Ils donnent beaucoup de leur temps pour que vous soyez heureux, remerciez-les.

Nous vous aimons énormément.

— *Grand-maman Murielle et grand-papa Robert*

• • •

CHERS Tristan, Sasha, Bianca, Savannah, Haylee, Logan, Lucas, Gavin, Nathan, Amaya et le petit ange qui arrivera bientôt,

Il n'y a pas de mots assez forts pour décrire combien je vous aime tous et toutes. Je me sens incroyablement chanceuse de vous avoir dans ma vie. Je n'ai pas toujours compris pourquoi vos parents avaient décidé d'avoir une si grande famille, mais j'en suis excessivement heureuse. Combien de fois ils se sont fait poser la question : pourquoi ? Leur réponse a toujours été : pourquoi pas ?

Je vous appelle souvent « mon clan » quand je parle de vous avec des amis. Alors, quand des étrangers, dans un magasin ou chez un de mes clients, me posent des questions sur l'un ou l'autre d'entre vous, pendant quelques secondes je me demande comment il se fait qu'ils vous connaissent et je me sens un peu protectrice. Mais je réalise très vite qu'ils vous connaissent comme faisant partie «des Groulx» et qu'ils vous apprécient énormément. Tous les compliments qu'ils me font à votre sujet me touchent beaucoup.

Chacun de vous, à votre façon, allez rendre notre planète meilleure, en faire un endroit où il fait bon vivre. Ne vous laissez jamais intimider par les personnes qui parlent négativement de «l'empreinte écologique» d'une famille nombreuse. Ces gens ne comprennent pas, au contraire, que vous avez été mis sur cette Terre pour l'améliorer.

— *Votre grand-maman Claudette qui sera toujours fière de chacun et chacune de vous*

— 9 —
À MES FUTURS ENFANTS

UNE DES RAISONS pour lesquelles je n'ai jamais arrêté d'avoir des enfants, c'est que lorsqu'on rencontre son enfant pour la première fois, que ce soit le premier ou le dixième, on ne peut qu'être émerveillé. Cette minuscule petite personne, si parfaite, avec sa propre personnalité, son apparence, sa propre manière de faire les choses et de vivre sa vie… Même après dix, je ne peux imaginer à quoi ressemblera le bébé que je porte en ce moment. Je me suis toujours demandé, quand j'arrêterai d'avoir des enfants, qui est-ce que je n'aurai pas le bonheur de rencontrer ? Si nous avions arrêté à Gavin, nous n'aurions jamais fait la connaissance de Nathan ou d'Amaya…

Alors, vous voyez bien qu'il est pratiquement impossible de décider quel serait le nombre magique d'enfants ! Parce qu'ils sont tous là maintenant, je ne peux imaginer ma vie sans eux. Et je sais que si j'avais écouté tous ceux et celles qui nous ont dit, après deux enfants, que nous devrions arrêter là, ma vie serait bien différente de ce qu'elle est aujourd'hui. Je suppose donc qu'avec le temps nous déciderons, votre père et moi, que notre famille est complète. Je devrai faire la paix avec notre décision et accepter que cette partie de ma vie soit terminée. Mais comme ce n'est pas pour aujourd'hui et que je sais fort bien qu'au moins deux autres membres s'ajouteront à notre famille, j'aimerais leur dire ce qui suit.

J'ignore combien d'entre vous viendront s'ajouter à vos frères et sœurs, mais j'aime à penser que ceux qui entreront dans notre famille auront autant de chance que ceux et celles qui les ont précédés, qu'ils naîtront heureux et en santé. Vous entrez dans une famille qui ne ressemblera probablement pas à celle de vos futurs amis et compagnons de classe mais, à mon avis, vous êtes d'autant plus chanceux et spéciaux. Il y aura toujours quelqu'un pour vous aider et vous réconforter quand vous serez tristes. Il y aura toujours quelqu'un pour prendre soin de vous quand votre père et moi ne serons pas disponibles. Faire partie d'une grande famille, ce n'est pas uniquement diviser, mais c'est avant tout multiplier. Multiplier les choses importantes dans la vie : l'amour, la compassion et la bienveillance.

Vous apprendrez l'indépendance et l'autonomie, ainsi que l'importance de la responsabilité personnelle, bien plus rapidement que la plupart des gens. Pour ma part, je n'ai appris qu'à vingt ans comment faire démarrer une machine à laver… mais votre frère Logan le sait déjà, à neuf ans. Il se peut qu'à certains moments vous souhaitiez que votre famille ressemble davantage aux autres familles. En effet, avec la différence vient le jugement des gens qui ne comprennent pas ou qui, parfois, sont jaloux. Et les gens expriment leur jalousie en tentant de vous entraîner vers le bas. Essayez alors de vous rappeler que, dans la vie, chacun fait ses propres choix. Nous avons choisi ce qui nous rend heureux, mais cela ne veut pas dire que tout le monde serait heureux dans notre situation. Essayez de respecter l'opinion de ces personnes et dites-leur que vous comprenez qu'elles ne comprennent pas…

J'espère que plus tard vous ne conserverez que de bons souvenirs de votre enfance. Nous avons beaucoup d'enfants mais nous ne sommes pas parfaits :

nous faisons des erreurs et nous faisons de notre mieux pour que vous soyez heureux. Finalement, je veux que vous sachiez à quel point vous étiez désirés, avant même votre naissance. J'ai très hâte de vous rencontrer et de vous voir devenir les personnes extraordinaires que vous êtes destinées à être.

— 10 —
LES DIX QUESTIONS QU'ON NOUS POSE LE PLUS SOUVENT

AVOIR DE NOMBREUX ENFANTS vient avec son lot de questions, posées généralement par deux types de personnes. Il y a les gens qui ne peuvent absolument pas comprendre pourquoi quelqu'un accepterait d'assumer autant de responsabilités et de tâches ; et il y a ceux qui sont en totale admiration devant ce qu'on fait et trouvent ça absolument fantastique. Peu importe qui pose les questions, celles-ci se ressemblent passablement. J'ai donc compilé une liste des dix questions qu'on m'a le plus souvent posées à ce jour.

N° 1
POURQUOI ?

C'est là, je crois, la grande question que les gens se posent. Pourquoi ? Pourquoi imposer à votre corps tant de grossesses, d'accouchements, puis le rétablissement sans oublier les cinq premières années où l'on arrive difficilement à savoir ce que l'enfant veut ou ce dont il a besoin. Pour votre père et moi, la réponse a toujours été dans les petites choses que font les enfants. Du premier sourire aux premiers mots en passant par l'apprentissage de la marche et du jeu, les observer devenir de petits êtres humains, avec ce qu'ils aiment et ce qu'ils n'aiment pas, tout cela fait en sorte que pour nous, ça en vaut la peine. Nous recevons chaque fois un cadeau extraordinaire.

Nous avons bien sûr des journées difficiles. Mais même à la fin de ces jours-là, quand nous allons les voir dans leurs chambres avant qu'ils s'endorment, quand nous voyons ces petites personnes dormir paisiblement, emmitouflées sous leurs couvertures, alors nous ne pensons plus aux moments difficiles. Personnellement, je préfère passer mes journées à la maison à composer avec la pagaille que créent parfois mes enfants, plutôt que d'aller travailler de 9 à 5 et devoir s'accommoder de la pagaille créée par des adultes !

Je ne crois pas que ce choix convient à tout le monde. Je sais que votre père a grandement besoin de son temps passé au travail. Quand il revient à la maison, vous lui avez manqué et il est encore plus heureux de vous retrouver. Et moi, je ne pourrais pas faire ce qu'il fait, tout comme je crois qu'il ne pourrait pas faire ce que je fais de mes journées. C'est finalement un choix personnel que nous faisons. Nous élevons nos enfants et quand nous les regardons grandir, nous prenons conscience que toutes les difficultés vécues en valaient la peine.

N° 2
COMMENT Y ARRIVEZ-VOUS FINANCIÈREMENT ?

C'est probablement la deuxième question qu'on nous pose le plus souvent. Je suppose que les gens croient que nous avons tous les mêmes dépenses, alors ils ne comprennent pas comment c'est possible. Quand on a une famille nombreuse, les dépenses ne sont pas multipliées par le nombre d'enfants. Par exemple, les vêtements qu'on passe d'un enfant à un autre permettent de faire des économies à une époque où les vêtements d'enfants coûtent aussi cher, et parfois plus cher, que ceux des adultes. C'est le cas aussi des achats en grandes quantités ou des soldes.

La préparation des repas permet également de faire de grosses économies en planifiant ce qu'on va manger en fonction de ce qui est en solde et de ce qui se trouve déjà dans le congélateur. On évite ainsi les courses de dernière minute où l'on doit payer le plein prix, ou les repas commandés parce qu'on ne sait pas quoi préparer. Les commandes de repas au restaurant constituent une gâterie et nous les faisons de manière à maximiser les quantités obtenues pour le prix. Par exemple, chez McDonald's, au lieu de commander un «Joyeux Festin» à chacun des enfants, on achète plutôt une boîte de 20 croquettes de poulet et 2 grandes frites, ce qui permet de nourrir 4 enfants à un prix bien plus raisonnable.

Chez nous, les vacances ressemblent moins à des voyages annuels à Disneyland qu'à deux semaines de camping, où l'on peut économiser sur les repas en apportant notre propre nourriture et où les enfants peuvent vraiment s'amuser sans que ça coûte trop cher. Les cartes de crédit sont à mon avis notre pire ennemi. Elles nous permettent de dépenser de l'argent qu'on n'a pas. Mais lorsqu'il y a une urgence et qu'on ne peut payer le solde de sa carte, ça finit par coûter deux fois plus cher quand on finit par acquitter sa dette.

Ce ne sont là que quelques-uns des conseils sur des façons d'économiser. Je pourrais probablement écrire un livre entier sur le sujet. Mais ce que je veux surtout dire, c'est que lorsqu'on veut, on peut. Ce n'est peut-être pas la partie la plus prestigieuse de ma vie, mais ça fait partie de la vie que nous avons choisie.

N° 3
FAITES-VOUS CELA POUR DES RAISONS RELIGIEUSES ?

Les gens associent souvent familles nombreuses et croyances religieuses. Nous sommes catholiques, mais ce n'est pas la raison pour laquelle nous avons tant d'enfants. C'est assurément une raison bien plus convenable que certaines autres explications que j'ai entendues, mais la religion n'a jamais été un facteur déterminant dans notre décision.

Chez nous, les vacances, c'est le camping en famille. J'ai de beaux souvenirs de mes vacances en camping quand j'étais jeune, en famille, dans les Adirondacks.

Aujourd'hui, nous allons souvent en camping dans la région de Sainte-Agathe.
Pascal a troqué la planche à roulettes de sa jeunesse pour une planche à pagaie !

Au cours d'un voyage en Floride, en 2018, les enfants ont pu,
pour la première fois, voir et apprécier la mer à Cocoa Beach.

La visite des studios et des parcs d'attraction Universal, à Orlando, a enchanté les enfants.

Moments inoubliables chez Universal (ci-haut) et Disney World (ci-bas).

Universal a fait l'unanimité dans la famille.

N° 4

QUAND TROUVEZ-VOUS
DU TEMPS POUR VOUS ?

Je crois que lorsqu'on décide d'avoir des enfants plus tard dans la vie, on a eu beaucoup plus de temps pour soi, pour développer des passe-temps, des intérêts. Mais ça n'a pas été notre cas. Nous n'avons jamais vraiment eu de période de notre vie adulte sans jeunes enfants. Et comme avoir autant d'enfants exige énormément de temps et d'énergie, nous n'avons jamais éprouvé le besoin d'aller nous divertir à l'extérieur. Nous prenons du temps pour nous, le soir, quand les plus jeunes sont au lit. Nous le passons ensemble, à relaxer et à nous détendre après une bonne journée.

À mesure que vous grandirez, il se peut que votre père et moi commencions à explorer d'autres choses, juste pour nous. Mais, en ce moment, nous sommes heureux de faire ce que nous faisons. Je crois qu'il est important de prendre du temps pour notre couple, mais nous avons toujours été présents l'un pour l'autre, même dans les périodes très occupées. Une bonne communication et le respect mutuel ont toujours été des éléments clés de notre couple. Nous prenons toutes nos décisions ensemble, nous ne faisons jamais des choses à l'insu de l'autre. Ce n'est peut-être pas aussi excitant que des vacances annuelles en couple, mais c'est ainsi que les choses ont toujours été pour nous et notre routine a quelque chose de réconfortant.

Le repos du guerrier !

N° 5
N'ÊTES-VOUS PAS FATIGUÉS ?

Je crois qu'il n'y a pas sur Terre de parent qui ne soit pas au moins un peu fatigué ! Ça fait partie de la description du poste... Mais suis-je plus fatiguée que, disons, le parent de deux jeunes enfants ? Je dois répondre non. Je me suis adaptée au manque de sommeil. Je n'ai pas dormi huit heures de suite depuis 2000, alors je ne m'attends tout simplement pas à pouvoir le faire. Je me contente d'essayer de me reposer avec les enfants durant le jour, quand c'est possible.

Nº 6

QUAND ALLEZ-VOUS ARRÊTER ?

Je crois que vous connaissez déjà la réponse à cette question si vous avez lu les premiers chapitres. Il est parfois étrange d'entendre cette question posée par un pur étranger, surtout lorsque la question s'adresse à l'un de mes plus jeunes enfants, comme s'ils étaient au courant de toutes nos décisions d'adultes. Je crois toutefois que les gens n'ont pas de mauvaises intentions, ils posent la question par curiosité, parce que les familles nombreuses sont si rares de nos jours.

Nº 7

CONDUISEZ-VOUS UN AUTOBUS D'ÉCOLIERS ?

À cette question, nous répondons oui et non. Il ne s'agit pas d'un autobus jaune traditionnel comme les gens l'imaginent, mais notre véhicule est immatriculé comme un minibus et nous avons dû obtenir une autorisation spéciale du gouvernement pour le conduire comme tel et avoir un permis pour les minibus. Les foyers qui accueillent neuf personnes ou plus ont la possibilité d'immatriculer leur véhicule comme un minibus et n'ont pas à payer les frais supplémentaires pour les véhicules à grosse cylindrée. Il s'agit là d'une économie très appréciée, car ces véhicules sont très coûteux à conduire et à entretenir... et j'ai toujours aimé pouvoir dépenser moins d'argent !

N° 8
QUE FEREZ-VOUS QUAND VOUS AUREZ FINI D'AVOIR DES ENFANTS ?

J'essaie de ne pas trop penser à cette question parce qu'honnêtement, j'ignore ce que la vie nous réservera. Il y a à peine quelques années, jamais je n'aurais imaginé écrire ce livre ou avoir une émission de télé à Canal Vie qui en serait à sa troisième saison. Je peux toutefois m'imaginer retourner aux études. Je n'ai jamais complètement arrêté : j'ai fait plusieurs cours par correspondance au fil des ans. J'ai toujours regretté de ne pas avoir pris mes études plus au sérieux quand j'avais le temps. C'est donc une possibilité. Aussi, votre père et moi avons depuis longtemps eu le désir de créer notre propre entreprise. Ne pas être enceinte et ne pas avoir d'enfants en bas âge me donneront assurément plus de temps pour y travailler. Mais, au bout du compte, peu importe ce que je déciderai, je serai toujours la mère de nombreux enfants qui auront fort probablement toujours besoin d'aide pour une raison ou pour une autre.

N° 9

ONT-ILS TOUS LES MÊMES PARENTS ?

C'est là l'une des questions que je trouvais un peu étrange, au début. J'ai ensuite réalisé qu'il y a aujourd'hui un grand nombre de familles recomposées et que la question est pertinente. Je crois que les gens trouvent tellement étrange de voir autant d'enfants ensemble qu'ils s'imaginent que votre père et moi avons eu des enfants avant de nous rencontrer et que nous avons bâti notre famille ainsi. Mais ce n'est pas du tout le cas, vous avez tous et toutes été faits avec le même moule et vous êtes incontestablement frères et sœurs. En effet, après cent mois de grossesse, je n'ai pas encore réussi à en faire un qui me ressemble beaucoup! Cela a toujours été un point sensible, mais vous êtes tous si beaux que je ne peux pas vraiment être trop contrariée…

N° 10

VOS ENFANTS AIMENT-ILS FAIRE PARTIE D'UNE GRANDE FAMILLE ?

Je crois que cette question-là, on vous la pose plus souvent qu'à moi. Mais d'après ce que j'ai pu observer en vous regardant grandir et interagir, vous semblez vous amuser. C'est donc ce que je réponds aux gens. Comme dans toute famille, les frères et sœurs se disputent, les parents se fâchent, il y a des crises et des larmes. Mais je crois que tout cela fait partie de la réalité de chacun, peu importe le nombre d'enfants dans la maison.

Vous pouvez aussi jouer ensemble quand vous êtes plus jeunes et magasiner ou aller au cinéma ensemble quand vous êtes plus vieux. Vous n'êtes jamais seuls, vous pouvez compter les uns sur les autres et vous savez soutenir celui ou celle qui vit des moments difficiles. Je me souviens du jour où Haylee s'est fracturé le bras. Nathan avait seulement un mois et je ne pouvais ni le laisser à la maison, ni l'emmener à l'urgence pour accompagner votre père et Haylee. Tous ses frères et sœurs plus âgés voulaient aller à l'hôpital avec elle pour s'assurer qu'elle n'aurait pas trop peur. Finalement, Sasha y est allée, mais nous sommes restés toute la soirée près du téléphone à attendre des nouvelles. Quand Haylee est revenue à la maison, tout le monde l'aidait à s'habiller, car elle ne pouvait rien faire avec son gros plâtre. Sasha et Bianca lui brossaient même les cheveux, elles lui demandaient si elle avait faim ou soif.

Faire partie de notre famille, c'est un peu comme faire partie d'une petite communauté de personnes qui s'aiment de façon inconditionnelle. Alors, vraiment, je n'arrive pas à comprendre comment quelqu'un pourrait considérer cela comme une mauvaise chose.

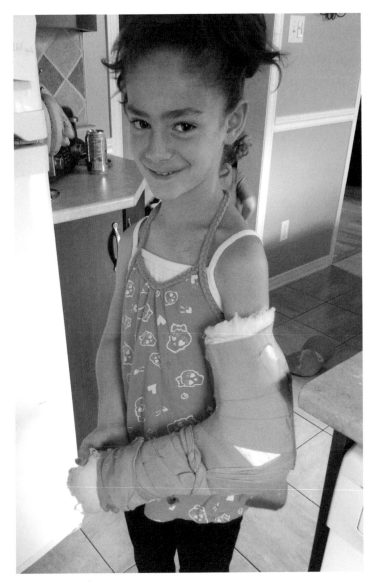

À 9 ans, Haylee s'est cassé un bras sur un trempoline.

— 11 —
NOS ESPOIRS
POUR NOTRE AVENIR

COMME TOUS LES PARENTS, nous espérons que nos enfants grandiront et seront heureux, en santé et qu'ils ne manqueront jamais de rien. Nous souhaitons être présents pour les appuyer dans tous leurs espoirs et leurs rêves et ne jamais les décevoir. Nous essayons très fort d'imaginer à quoi ressemblera votre avenir. Voici ce que, j'espère, l'avenir vous apportera.

Pour toi, Tristan, j'espère que même si tu ne fréquentes plus l'école Vanguard tu continueras d'exceller, que tu seras heureux et trouveras de nouveaux amis à John Abbott. Je te souhaite de réaliser ton rêve de devenir caméraman et de voyager pour découvrir toutes les merveilles que le monde a à offrir.

Pour toi, Sasha, j'espère que tu pourras surmonter tes difficultés en mathématiques pour que tu puisses étudier en médecine et réaliser ton rêve d'aider les gens au moment où ils en ont le plus besoin. Tu as tellement d'empathie que tu possèdes déjà, à mon avis, l'une des principales qualités pour devenir médecin.

Pour toi, Bianca, j'espère que tu apprendras à être toi-même et prendras conscience que tu es une personne exceptionnelle. Tu n'as pas à t'ajuster à ce que les autres considèrent comme à la mode et populaire. Nous avons peut-être perdu certains côtés de toi depuis que tu as commencé ton secondaire, mais je sais que tous ces aspects de ta personne sont encore présents, pas très loin sous la surface...

Pour toi, Savannah, j'espère que tu réalises que nous t'aimons autant que nous aimons tous les autres membres de la famille et que tu n'as pas besoin de faire des bêtises pour que nous te remarquions. Nous te voyons et nous t'aimons, même s'il nous est impossible de t'accorder, en tout temps, toute notre attention.

Pour toi, Haylee, j'espère que l'école secondaire s'avérera une expérience positive et que tu apprendras à être un peu plus sérieuse dans tes études. Tu es intelligente et la dyslexie ne diminue pas ton intelligence. Essaie un peu et tu verras, tu iras loin !

Pour toi, Logan, j'espère que tu réaliseras ton rêve de devenir policier. Mais, pour le moment, apprends à profiter de ton enfance. Je te souhaite de réaliser qu'il y a autre chose d'intéressant pour un garçon de ton âge que les jeux vidéo auxquels tu t'accroches tant. Le monde à l'extérieur de la maison recèle plein de possibilités à explorer. À toi de les découvrir !

Pour vous, mes enfants plus jeunes, qui êtes encore trop petits pour exprimer vos rêves d'avenir, je vous souhaite de continuer longtemps d'être des enfants. Elles sont rafraîchissantes, votre innocence et votre confiance inébranlable dans la bonté du monde. Comme j'aimerais vous garder ainsi pour toujours ! Je devrai toutefois me contenter de faire de mon mieux pour vous protéger.

Pour nous tous, comme famille, je rêve que dans quelques années nous puissions bâtir la maison de nos rêves avec tous les petits détails dont nous rêvons depuis si longtemps, afin que chacun des membres ait tout ce dont il a besoin. J'espère aussi que nous pourrons avoir la petite ferme dont nous avons parlé et les animaux dont nous prendrions soin ensemble. Personne ne sait ce que l'avenir nous réserve, mais tant que nous sommes ensemble, le reste m'importe peu.

— 12 —
NOTRE ROUTINE AVEC DIX ENFANTS

BIEN DES GENS nous disent qu'ils aimeraient être un petit oiseau pour voir de quoi est faite la vie quotidienne avec dix enfants. L'émission a donné un aperçu de certains aspects de notre vie. Mais, pour ceux et celles qui sont plus curieux et aimeraient savoir plus précisément à quoi ressemble une journée habituelle de travail ou d'école, sans les caméras, voici une description de notre horaire type. Ça ressemble probablement au vôtre, il y a tout simplement un peu plus de monde.

6 H 30

Pascal se lève et réveille les plus jeunes qui vont à l'école. Les plus vieux sont debout depuis un certain temps, parce que le bus qui les emmène à l'école secondaire passe à 7 h 15. Tristan est parti depuis longtemps pour aller prendre le train jusqu'à Abbott. Alors que les plus petits mettent les vêtements qui ont été préparés pour eux la veille, Pascal se prépare pour le travail, puis il les aide à déjeuner.

7 H 15

Pascal me réveille avant de partir pour le travail. Je descends avec le bébé et j'aide aux derniers préparatifs avant le départ pour l'école. Je brosse les cheveux de tout le monde et m'assure que chacun a ses collations et ses devoirs. Avant que les enfants partent pour l'école, Nathan et Gavin se réveillent et demandent leur lait qu'ils vont boire en se réveillant tranquillement devant des dessins animés.

7 H 45

Les enfants partent pour l'école. J'aide habituellement Lucas à s'habiller car à cette heure, il a déjà demandé au moins vingt fois s'il pouvait rester à la maison avec moi. Ce serait donc trop long de le laisser faire tout seul.

8 H 15

Gavin, Nathan et Amaya sont maintenant bien réveillés et ils ont faim. Et, bien sûr, ils veulent tous manger des choses différentes : rôtie pour l'un, céréales pour l'autre, gaufre pour le troisième. J'ai environ cinq minutes pour manger avant qu'ils aient terminé et que je doive laver leurs mains avant qu'ils se mettent à tout toucher avec leurs doigts collants.

9 H

Je commence habituellement à faire les lits à peu près à cette heure-là. J'aime aussi commencer ma première brassée de lavage assez tôt parce que selon le déroulement de mon avant-midi, il se peut que je n'aie pas le temps de faire le deuxième lavage avant 14 h 30. (J'essaie d'en faire au moins deux par jour pour éviter que les vêtements s'accumulent.) Une fois que les lits sont faits, j'habille les enfants et j'essaie de les distraire avec des jouets dans ma chambre le temps que je me prépare, mais ça ne fonctionne pas toujours.

11 H 30

C'est l'heure à laquelle Haylee, Logan et Lucas reviennent à la maison pour le dîner. Croyez-le ou non, parfois je viens à peine de terminer la routine du matin – faire les lits, habiller les enfants. Oui, ça peut prendre jusqu'à deux heures et demie quand ils sont tannants.

12 H 10

C'est l'heure de faire habiller les enfants qui retournent à l'école. Elle n'est pas très loin, mais ils ont tendance à lambiner après le dîner et je ne veux pas qu'ils soient en retard. Ensuite, je commence le deuxième service du dîner, pour les petits et moi. Les jours où j'ai la chance d'avoir des restes qu'ils aiment, ça va assez bien. Mais essayer de cuisiner avec trois enfants de moins de cinq ans peut s'avérer assez pénible. Je ne peux pas leur faire confiance si je ne les vois pas, et les endroits pour se cacher de maman sont malheureusement trop nombreux dans cette maison.

13 H 30

C'est habituellement un temps de tranquillité. Après avoir mangé et joué, les enfants sont fatigués. Amaya fait habituellement la sieste sur moi pendant que nous regardons des dessins animés. Les autres ne font plus la sieste depuis l'âge de deux ans parce que sinon, ils ne dormiraient pas avant 23 h ! Alors, ils se reposent et refont le plein d'énergie pour plus tard.

14 H 30

Le premier groupe d'enfants – Logan, Lucas et Haylee – revient de l'école. Les tout-petits, tout excités par le retour des plus grands, donnent un répit à maman et vont jouer avec leurs frères et sœurs. Peu après, c'est au tour de Sasha, Bianca et Savannah de rentrer. Je peux alors vraiment me mettre au travail. Une fois les plus grands de retour à la maison, je commence par faire la vaisselle qui s'est accumulée depuis le déjeuner, je nettoie les comptoirs, je fais l'époussetage et je ramasse un peu, je fais la deuxième brassée de lavage et plie la première, je m'assure que les petits ont une collation, pour éviter qu'ils aillent voler des biscuits dans l'armoire à 16 h 45 et gâchent leur souper...

16 H

C'est l'heure de commencer la préparation du souper et les devoirs des petits. Je m'assieds habituellement avec Lucas dans un coin tranquille car il est facilement distrait, et je demande à l'une des grandes filles d'aider Logan s'il a des questions. À son âge, Haylee est capable de faire ses devoirs toute seule.

17 H 15

Tristan arrive finalement à la maison, après une longue journée à Abbott.

17 H 30

Papa est rentré ! Youpi ! J'ignore qui est le plus excité : les enfants heureux de voir leur père, ou moi soulagée d'avoir de l'aide ? Si la préparation du repas n'est pas terminée, Pascal prend la relève. Si le souper est prêt, toute la famille se met à table et discute de sa journée en mangeant.

18 H 30

Une fois que tout le monde a mangé, chacun et chacune contribue à nettoyer et à ranger. Tristan ou l'une des filles aiment bien mettre de la musique forte, ça rend la tâche plus agréable et le temps passe plus vite. Et moi – chanceuse ! –, qui ai passé la journée à nettoyer et à prendre soin des tout-petits, j'ai le privilège de monter avec le bébé et de prendre un bon bain chaud, pas particulièrement relaxant, avec Amaya.

19 H

Quand j'ai terminé dans la salle de bain, Pascal monte avec les quatre petits garçons, les lave, leur brosse les dents et les met au lit. Pendant ce temps, je choisis les vêtements pour le lendemain à l'école. Une fois les garçons couchés, je peux alors coucher aussi Amaya. Elle n'arriverait pas à s'endormir avec quatre petits garçons qui courent à l'extérieur de la porte de sa chambre.

19 H 45

Normalement, à cette heure-là, les cinq plus petits sont au lit et endormis (pour la plupart). Les plus vieux profitent du calme et s'assoient à la table pour faire leurs devoirs. Pascal et moi, nous nous installons habituellement devant la télé et je plie mes brassées de lavage de la journée. Et nous aidons les jeunes avec leurs devoirs s'ils ont des questions.

21 H

Savannah et Haylee vont finalement au lit, après avoir trouvé mille et une raisons de descendre voir ce que nous faisons.

22 H 30

À cette heure-là, Pascal et moi sommes couchés et nous nous attendons à ce que tous les enfants le soient aussi. Il arrive que Tristan travaille après l'école, alors nous tendons l'oreille pour l'entendre rentrer. Mais généralement, tout le monde est au lit et nous pouvons finalement nous reposer, sachant que la journée est terminée… et qu'une autre bonne journée nous attend le lendemain.

Déjà la fin des vacances et la rentrée des classes...

— 13 —
QUELQUES ASTUCES ACQUISES AU FIL DES ANS

ÊTRE PARENT suppose un long apprentissage et nous apprenons encore aujourd'hui de nos enfants. Le jour où on croit avoir vu toutes les raisons pour lesquelles un enfant de deux ans fait une crise, le petit dernier vous surprend avec une nouvelle. J'espère qu'une partie de ce que nous avons appris pourra vous aider quand vous déciderez à votre tour d'avoir des enfants, vous ou quiconque s'est rendu jusqu'ici dans la lecture de ce livre.

Quand votre enfant fait une crise, au point où il est impossible de lui parler et que vous commencez à perdre votre calme, demandez-lui d'aller se laver les mains ou, s'il est très petit, emmenez-le se laver les mains à l'eau froide. Cela peut sembler étrange, mais l'eau froide sur ses poignets contribuera à l'apaiser, sans compter que je n'ai jamais rencontré un enfant qui n'aime pas jouer dans l'eau. Ça le calmera et vous pourrez ensuite avoir une bonne discussion avec lui.

Ne sortez jamais avec des enfants qui ont faim ou qui s'endorment. Quand je prends des rendez-vous, je m'assure toujours que cela ne coïncide pas avec l'heure du repas ou de la sieste. Ce n'est pas toujours pratique pour nous, les parents, mais je crois avoir évité bien des crises d'enfants fatigués ou qui demandent sans cesse à manger en voyant, par exemple, ces aliments vides que les magasins placent comme par hasard à la vue des enfants à côté des caisses.

Avec les enfants, les récompenses sont toujours plus efficaces que les punitions. Je ne dis pas qu'il faut leur permettre de faire n'importe quoi sans réagir. Ce que je veux dire, c'est que les tableaux avec des collants ou de petites récompenses à la fin de la semaine si vous aviez fait votre lit tous les jours, par exemple, m'ont permis d'accomplir bien plus avec vous que de vous punir quand vous ne faisiez pas ce que nous attendions de vous.

Si vous voulez que vos adolescents vous aident, ne leur dites pas seulement quoi faire, mais parlez-leur, expliquez-leur la situation, pourquoi leur aide serait appréciée, puis laissez-les décider ce qu'ils veulent faire. La plupart du temps, ils seront heureux d'aider quand ils n'ont pas l'impression que vous cherchez à faire d'eux vos esclaves… et que vous les traitez en adultes en les rendant parties prenantes de vos projets.

La chose la plus importante que vous pouvez faire pour vos enfants, c'est d'être présents. Tout l'argent que vous dépensez pour eux ou le nombre d'activités parascolaires auxquelles ils sont inscrits sont loin d'être aussi importants que de savoir que, quoi qu'il arrive, leurs parents seront là pour les soutenir. Alors, que ce soit votre petit de deux ans qui vous explique l'aventure vécue par son animal en peluche ou encore votre ado qui est bouleversé parce qu'un de ses amis a été méchant avec lui à l'école, écoutez-le et soyez présents. Je crois que j'ai une relation très transparente avec vous, je ne suis pas assez naïve pour croire que vous me dites tout. Mais quand ce sera important, quand vous aurez besoin de nous, vous savez que votre père et moi ferons tout ce qu'il faut pour vous aider.

— 14 —
LA DISCIPLINE
DANS NOTRE MAISON

VOUS ÊTES MES ENFANTS et vous savez fort bien qui aller voir lorsque vous voulez une permission spéciale. C'est moi, votre mère, que vous venez voir. De nous deux, votre père et moi, j'ai toujours été plus encline à acquiescer à une demande particulière, comme les sorties ou les invitations à dormir chez des amis. Dans mon enfance, mon père était souvent parti et c'est ma mère qui devait appliquer les règlements. J'ai grandi avec énormément de règles et je me souviens que les punitions étaient chose courante dans ma vie. Je crois que, à cause de tout cela, je suis devenue la plus permissive. Je détestais les disputes incessantes avec ma mère pour obtenir la permission de faire des choses que mes amies faisaient, et je me suis dit que je n'agirais pas de la sorte quand je serais mère.

D'après ce que je peux voir, votre père, de son côté, était rarement puni, et ses parents étaient beaucoup plus permissifs que les miens. Et, bizarrement, il est devenu de nous deux le parent qui applique la discipline la plus stricte, vous interdisant de faire des choses qu'il faisait à votre âge. Et il est beaucoup plus sévère en matière de couvre-feu et de notes scolaires que ses propres parents l'ont été avec lui.

Nous sommes tous les deux devenus le contraire des parents que nous avons connus dans notre enfance. Dans une famille où le nombre d'enfants dépasse de beaucoup le nombre de parents, un certain degré de discipline s'impose pour maintenir un ordre relatif. Nous avons nos règles, que vous connaissez tous et dont nous avons parlé dans ce livre. Et voici les deux éléments qui, à mon avis, doivent être mis en place pour assurer la paix et le contrôle dans la maison.

Être cohérent. On ne peut pas dire non à un enfant et le lendemain dire oui à la même demande car les enfants ne vous croiront plus. Il faut également faire preuve de cohérence avec les conséquences afin que chaque fois qu'ils font quelque chose qu'ils ne devraient pas faire, ils soient conscients de ce qui va se produire. Chez nous, c'est habituellement un séjour dans le coin pendant un nombre de minutes correspondant à l'âge de l'enfant. Et, comme les enfants n'aiment pas tellement se retrouver seuls dans le coin pendant que les autres s'amusent, cela s'avère une punition très efficace.

Garder son calme. Plus on réagit devant le comportement négatif d'un enfant, particulièrement un jeune enfant, plus celui-ci a tendance à faire une crise. Parfois, on dirait qu'ils se comportent mal simplement pour voir quel genre de réaction on aura ou à quel point ils peuvent obtenir l'attention d'un parent. Je ne crois pas qu'il soit efficace de crier – je ne dis pas que ça ne m'arrive pas de temps en temps quand je suis à bout –, mais en général, plus je réagis fortement, plus le comportement empire.

Je ne dis pas que les choses ne sont jamais devenues chaotiques… Ce n'est pas parce qu'on ne le voit pas dans l'émission de télé que nous sommes différents des autres familles du Québec. Mais, après des années à vivre dans le chaos qui résulte de la présence de tant de jeunes enfants, cela me dérange moins qu'avant. On s'habitue au bruit et aux désagréments et, avec le temps, on s'adapte tout simplement à l'atmosphère plutôt agitée qui règne dans une famille nombreuse remplie de petits qui, tout comme leurs parents, sont parfaitement capables d'exprimer leur mécontentement quand les choses ne se passent pas comme ils le souhaitent. Nous n'avons jamais prétendu être parfaits et nous ne nous attendons pas à ce que vous le soyez !

— 15 —
NOS RECETTES
PRÉFÉRÉES

CETTE PARTIE du livre, je souhaitais simplement l'ajouter pour le plaisir... et pour mes enfants qui affirment que leur maman est la meilleure cuisinière du monde! Je présente ici six de nos recettes familiales préférées. Vous en aurez ainsi une copie pour le jour où vous partirez en appartement et vous vous ennuierez des repas préparés par maman à la maison.

PAIN AUX BANANES

2 ¼ tasses de farine tout usage, tamisée
1 ½ tasse de sucre granulé
2 ½ cuillérées à thé de poudre à pâte
½ cuillérée à thé de bicarbonate de soude
¼ cuillérée à thé de sel
½ tasse d'huile de canola
1 ½ tasse de bananes très mûres écrasées (environ 5)
2 œufs
1 cuillérée à thé d'extrait de vanille
Noix de Grenoble ou pépites de chocolat, ou les deux
    si vous voulez.

1. Dans un grand bol, tamiser les ingrédients secs et mélanger.
2. Ajouter l'huile, ½ tasse de bananes et les œufs. Mélanger
au batteur électrique.
3. Ajouter le reste des bananes et l'extrait de vanille. Battre jusqu'à
ce que le tout soit bien mélangé.
4. Vous pouvez ajouter des noix de Grenoble, ce que votre père
aime dans son gâteau aux bananes, ou des pépites de chocolat,
ce que vous aimez.
5. Tapisser le fond d'un moule carré de papier ciré. Verser la pâte.
6. Cuire à 375 °F pendant 50-55 minutes. Vérifiez toujours le
centre pour vous assurer que le gâteau est bien cuit.

CROUSTADE AUX POMMES

10 tasses de pommes tranchées
(environ 10 pommes Granny Smith)
1 tasse de sucre granulé
1 cuillérée à table de cannelle
½ tasse d'eau
1 tasse de gruau à cuisson rapide
1 tasse de farine
1 tasse de cassonade
¼ cuillérée à thé de poudre à pâte
¼ cuillérée à thé de bicarbonate de soude
½ tasse de beurre fondu

1. Placer les pommes tranchées dans un moule 9 × 13.
2. Dans un petit bol, mélanger le sucre granulé, 1 cuillérée à table de farine et la cannelle. Saupoudrer sur les pommes.
3. Verser l'eau uniformément.
4. Dans un bol, combiner le gruau, le reste de la farine, la cassonade, la poudre à pâte, le bicarbonate de soude et le beurre fondu.
5. Répartir le mélange uniformément sur les pommes.
6. Cuire à 350 °F pendant 45 minutes.

BISCUITS AUX PÉPITES DE CHOCOLAT (LES MEILLEURS)

5 tasses de gruau, pulvérisé au mélangeur
2 tasses de beurre
2 tasses de sucre
2 tasses de cassonade
4 œufs
2 cuillérées à thé d'extrait de vanille
4 tasses de farine
1 cuillérée à thé de sel
2 cuillérées à thé de bicarbonate de soude
2 cuillérées à thé de poudre à pâte
24 onces de pépites de chocolat
3 tasses des noix de votre choix
2 barres de chocolat de 8 onces (225 g), entièrement râpées

Note : cette recette a été doublée pour notre famille. Au besoin, vous pouvez réduire les ingrédients de moitié.

1. Mesurer le gruau et passer au mélangeur pour obtenir une poudre fine.
2. Battre le beurre avec le sucre et la cassonade.
3. Ajouter les œufs et l'extrait de vanille. Bien mélanger.
4. Dans un grand bol, mélanger la farine, le gruau, le sel, le bicarbonate de soude et la poudre à pâte. En mélangeant, ajouter lentement les ingrédients liquides au mélange de farine.
5. Ajouter les pépites de chocolat, les noix et le chocolat râpé. Mélanger.
6. Avec la pâte, former de petites boules et déposer sur des plaques à biscuits graissées, en les espaçant de 2 po (5 cm).
7. Cuire à 375 °F pendant 8-10 minutes.

POULET PANÉ

Poitrines de poulet désossées, sans la peau,
    coupées en fines lanières
Œufs
Chapelure assaisonnée à l'italienne
Huile d'olive
Margarine
Tranches de citron

1. Placer les lanières de poulet sur une surface plane. À l'aide d'un maillet, aplatir uniformément.
2. Dans un bol, battre les œufs dont vous aurez besoin, selon la quantité de poulet que vous préparez. Mettre la chapelure dans une assiette.
3. Tremper le poulet d'abord dans les œufs, en le couvrant complètement, puis dans la chapelure. Réserver. Paner tous les morceaux de poulet avant de commencer à les faire cuire.
4. Verser l'huile dans une poêle profonde, suffisamment pour couvrir le fond. Ajouter quelques cuillérées à thé de margarine et faire chauffer. Une fois l'huile bien chaude, déposer le poulet dans la poêle. Surveiller attentivement, car les aliments cuisent plus rapidement en grande friture. Si le poulet est trop cuit, il sera dur.
5. Servir avec des tranches de citron. Bon appétit!

SOUPE AU POULET D'HALLOWEEN

Environ un demi-poulet cuit avec les os (habituellement
le reste d'un repas)
3 branches de céleri, lavées et bouts coupés
3 grosses carottes, lavées et bouts coupés
Un gros oignon
3-4 feuilles de laurier
Bouillon de poulet au goût
1-2 boîtes de nouilles pour soupe, selon la quantité de
nouilles que vous aimez dans la soupe

1. Retirer la peau et le gras du poulet. Placer dans une grande
casserole.
2. Ajouter le céleri, les carottes et les oignons. Remplir d'eau
pour couvrir tous les ingrédients.
3. Ajouter les feuilles de laurier et le bouillon de poulet (s'il s'agit
de bouillon en poudre, j'aime bien le saupoudrer pour couvrir
toute l'eau sur le dessus).
4. Amener à ébullition, puis baisser le feu et couvrir. Laisser
mijoter pendant une heure.
5. Refroidir et retirer tous les ingrédients. Désosser le poulet et le
couper en petits morceaux. Remettre le poulet dans la soupe.
Vous pouvez aussi remettre une partie des légumes, mais ce
n'est pas nécessaire, car toutes les vitamines des légumes
se trouvent déjà dans le bouillon.
6. Ajouter les nouilles de votre choix et cuire jusqu'à ce qu'elles
soient tendres. Refroidir un peu et servir.

RÔTI DE PORC À LA MIJOTEUSE

Rôti de porc
1 tête d'ail complète
Sel et poivre
Sel d'ail
2 gros oignons
2 cuillérées à table de sauce soya
2 tasses d'eau chaude
Mijoteuse

1. Faire 3 ou 4 incisions profondes dans le rôti et y insérer les gousses d'ail.
2. Mélanger le sel, le poivre et le sel d'ail. En saupoudrer tous les côtés du rôti et bien frotter la surface.
3. Couper les oignons. En placer une partie au fond de la mijoteuse. Déposer le rôti, puis couvrir du reste des oignons.
4. Mélanger la sauce soya et l'eau chaude. Verser sur le rôti.
5. Cuire à basse température pendant 8 heures. Bon appétit!

DES REMERCIEMENTS PARTICULIERS

TANT DE GENS nous ont aidés à parvenir à ce point-ci de notre vie, que ce soit notre vie quotidienne ou notre vie à la télé. Nous souhaitons prendre un moment pour remercier le plus grand nombre d'entre vous possible. Alors voici!

D'abord et avant tout, nous voulons remercier nos enfants. Merci d'être ces merveilleux petits êtres humains! Merci de nous faire sans cesse revivre, à travers vos yeux, la magie de l'enfance grâce à laquelle toutes les brassées de lavage et les changements de couche en valent la peine. Merci à nos parents, Robert, Murielle et Claudette, qui appuient nos choix de vie un peu fous. Nous n'avons pas toujours été sur la même longueur d'onde au sujet de nos décisions mais, malgré tout, vous nous avez manifesté, à nous et à nos enfants, tant de soutien et d'amour qu'il est humainement possible de le faire. Merci à nos sœurs, Morgan et Jacynthe, qui nous ont toujours aimés et qui aiment tellement nos enfants qu'elles iraient au bout du monde pour les protéger. Merci à nos amis, en particulier à Vincent, qui ont toujours été présents et nous ont offert leur aide lorsque nous en avions besoin. Où qu'ils soient dans leur cheminement de vie, ils ont toujours réussi à passer du temps avec notre famille.

Merci à notre famille et à nos amis de la télé, à Vincent Parisien qui est à l'origine de cette belle aventure. Merci à Marie-Pierre Corriveau, notre première directrice de la production, toujours honnête et aimable. Merci à Yvan Lamontagne et à Marc-Alexandre Larouche à qui nous nous sommes beaucoup attachés et envers qui nous pouvons toujours nous tourner en cas de problème, en sachant qu'ils feront tout en leur pouvoir pour trouver une solution. Merci à Chantal Fortier, qui nous a accueillis dans la famille de Canal Vie. Merci à notre réalisateur, qui fait maintenant partie de la famille qu'il le veuille ou non, oncle Frédéric Leblanc que nous avons accueilli dans notre maison, à qui nous avons fait totalement confiance et qui ne nous a jamais déçus. Merci à trois magnifiques jeunes femmes, Catherine Grenier-Marquis, Alexe Poulin et surtout Marie-Ève Boucher, qui ont passé tant d'heures non seulement à travailler pour l'émission, mais aussi à divertir nos enfants et à prendre soin d'eux. Merci à Sarah Lévesque, avec qui j'ai passé des heures de plaisir au téléphone à préparer toutes les activités qui ont été filmées.

Merci à toute l'équipe technique, Nicholas Bilodeau, Guillaume Roy-Mercier, René Lamontagne, Christian Marchand et tant d'autres grâce à qui, au cours des longues journées de tournage, nous avons moins l'impression de travailler que de passer du bon temps entre amis. Merci aussi à notre nouvel agent, Martin Rufiange, qui nous a offert tant de soutien et nous a si bien conseillés.

Si j'ai oublié certaines personnes, veuillez me pardonner. Disons que c'est dû au « cerveau de grossesse »... Ça existe, vous savez ! Merci à chacun et chacune. Merci pour tout. Nous espérons que vous serez présents dans notre vie pendant encore longtemps.

Ce troisième tirage a été achevé d'imprimer en décembre 2019
sur les presses de Transcontinental Interglobe, à Beauceville (Québec).